MALDWYN

BROYDD CYMRU 15

Maldwyn

Cyril Jones

Argraffiad cyntaf: Gorffennaf 2003

(h)   *Cyril Jones/Gwasg Carreg Gwalch*

Rhif Llyfr Safonol Rhyngwladol:
0-86381-833-1

Clawr: Smala, Caernarfon
Lluniau'r clawr: Bwrdd Croeso Cymru
Mapiau: Ken Gruffydd

Argraffwyd a chyhoeddwyd gan Wasg Carreg Gwalch,
12 Iard yr Orsaf, Llanrwst, LL26 0EH.
☎ *(01492) 642031* 📄 *(01492) 641502*
e-bost: llyfrau@carreg-gwalch.co.uk
lle ar y we: www.carreg-gwalch.co.uk

Diolchiadau
Diolch i'r canlynol am eu cymorth wrth lunio'r gyfrol hon:
Heledd Maldwyn Jones a staff Gwasg Carreg Gwalch;
Aled Wyn Rees, Rhuthun (Glantwymyn gynt); Y Prifardd Penri Roberts, Llanidloes;
Sheela Hughes, Llanfyllin; Geunor Breeze, Comins Coch; John P. Davies, Machynlleth;
Helen Jones, Pentre'r Eglwys (Darowen gynt); D. Emyr Williams, Aberhosan

Cynnwys

Cyflwynedig i
Heledd ac Einir
i'w hatgoffa.

Teitlau eraill yn y gyfres:

Gair am y Gyfres

Bob blwyddyn bydd llinyn o Eisteddfodwyr a llygad y cyfryngau Cymreig yn troi i gyfeiriad dwy fro arbennig – bro Eisteddfod yr Urdd ar ddiwedd y gwanwyn a bro'r Eisteddfod Genedlaethol ynghanol yr haf.

Yn ogystal â rhoi cyfle i fwynhau'r cystadlu a'r cyfarfod, y seremonïau a'r sgwrsio, a'r diwylliant a'r dyrfa, mae'r eisteddfodau hyn yn cynnig llawer mwy na'r Maes yn unig. Yn naturiol, mae'r ardaloedd sy'n cynnig cartref i'r eisteddfodau yn rhoi lliw eu hanes a'u llên eu hunain ar y gweithgareddau, a bydd eisteddfodwyr yn dod i adnabod bro ac yn treulio amser yn crwydro'r fro wrth ymweld â'r gwyliau.

Ers tro mae bwlch ar ein silffoedd llyfrau Cymraeg am gyfres o arweinlyfrau neu gyfeirlyfrau hwylus a difyr sy'n portreadu gwahanol ardaloedd yng Nghymru i'r darllenwyr Cymraeg. Cafwyd clamp o gyfraniad gan yr hen gyfres *Crwydro'r Siroedd* ond bellach mae angen cyfres newydd, boblogaidd sy'n cyflwyno datblygiadau newydd i do newydd.

Dyma nod y gyfres hon – cyflwyno bro arbennig, ei phwysigrwydd ar lwybrau hanes, ei chyfraniad i ddiwylliant y genedl, ei phensaer-nïaeth, ei phobl a'i phrif ddiwydiannau, gyda'r prif bwyslais ar yr hyn sydd yno heddiw a'r mannau sydd o ddiddordeb i ymwelwyr, boed yn ystod yr Eisteddfod neu ar ôl hynny.

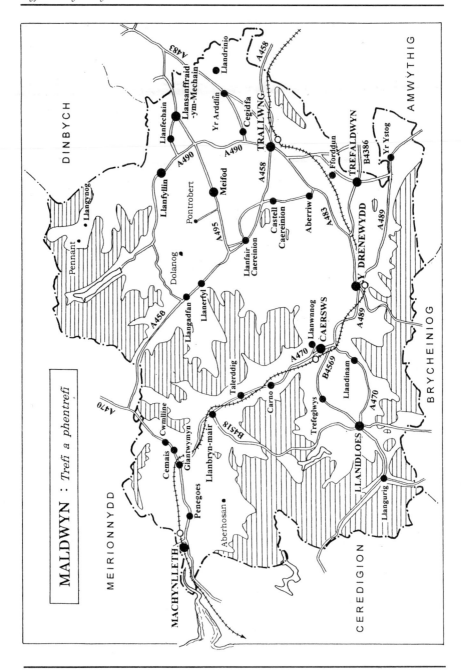

Cyflwyniad

Hen deyrnas Powys oedd – ac ydi – mam yr ardal a alwn yn sir Drefaldwyn, neu yn syml, Maldwyn. Am tua mil o flynyddoedd o'r chweched ganrif ymlaen, fe fu'r rhanbarth fel baban ym mola'r famdeyrnas. Yn ystod cyfnod y Deddfau Uno (1536-42) y cafodd y Faldwyn bresennol ei geni.

Gadewch i ni edrych yn fwy manwl ar hanes y fam a chyfnod prifio'r baban yn y groth. Ymestynnai'r hen Bowys o Gaer yn y gogledd i Elfael – sef yr ardal sy'n ffinio â Mynwy – hyd at Bengwern yng nghyffiniau Amwythig – ac yn fwy na thebyg holl sir Amwythig. Mae'r gair Powys yn dod o'r Lladin *Págus* sy'n golygu 'rhanbarth' (yr un gwreiddyn â'r gair *pau* am wlad), a'r gair *págenses* am y trigolion. Dyddia'n ôl i'r cyfnod pan oedd llwyth Rhufeinig y *Cornovii* wedi setlo yn y cyffiniau. O'r chweched ganrif hyd heddiw cafodd y cymydog cryf i'r dwyrain dipyn o ddylanwad ar yr hen fam a'r plentyn.

Teyrnas Mercia oedd teyrnas fwyaf a chryfaf Lloegr yn ystod y cyfnod hwnnw, ac fe fu hi'n gwasgu'n go galed ar ffiniau dwyreiniol Powys. Nid oes llawer o dystiolaeth hanesyddol gynnar o hynny. Serch hynny, mae barddoniaeth gynnar Gymraeg a hanes yr hen bennaeth, Llywarch Hen yn colli ei bedwar mab ar hugain wrth amddiffyn Rhyd y Forlas, yng nghyffiniau pentref Ford heddiw, a hanes y dywysoges Heledd yn galaru am ei brawd ym Mhengwern wedi serio'r cyfan ar ein cof fel cenedl.

Mae'r dystiolaeth fwyaf trawiadol o'r gwrthdaro neu'r gwahaniaeth yn weladwy o hyd – Clawdd Offa. Roedd y brenin a roddodd ei enw i'r Clawdd yn teyrnasu rhwng 757 a 796. Roedd codi'r clawdd o Brestatyn i Gasgwent yn dipyn o gamp yn ystod yr wythfed ganrif. Ar wahân i wyth cilomedr yn ardal Llanymynech, lle mae afon Hafren yn ffurfio'r ffin, mae'n glawdd didor o Dreuddyn i afon Arwy yn sir Faesyfed. Clamp o Glawdd ydyw, sydd ugain medr o led a dau fetr a hanner o uchder. Yn wahanol i Wal Hadrian sydd rhwng Lloegr a'r Alban, does dim tystiolaeth i filwyr fod yn bresennol i'w warchod. Yn wir, mae'r tir ffrwythlon o bobtu'r clawdd yn awgrymu bod peth cytundeb rhwng y ddwy ochr pan gafodd ei godi. Diffinio oedd ei bwrpas, nid amddiffyn ond mae'n siŵr fod ei bresenoldeb wedi cryfhau teimladau teyrngar ar y ddwy ochr.

Parhau i wasgu wnaeth Mercia, ac yn 822, y nhw oedd yn rheoli Powys – cyn i Rhodri Fawr a'i fab Gwriad daro'n ôl a cholli eu bywydau yn y fargen. Tyfodd teyrnas Powys i'w hanterth rhwng 1132 a 1190, a hynny dan deyrnasiad Madog ap Maredudd (a oedd â llys ym Mathrafal ger safle maes Prifwyl 2003). Ef oedd y rheolwr olaf i reoli holl deyrnas Powys yn ogystal â'r ardal o gwmpas Croesoswallt – o Gaer i Eisteddfa Gurig. Pan fu e farw roedd tipyn o ffraeo rhwng y rhai a fyddai'n etifeddu'r tiroedd hyn.

Cyflwynodd Madog ardal Cyfeiliog – sef ardal Llanbryn-mair heddiw i'w ddau nai, Owain a Meurig. Tyfodd Owain Cyfeiliog i fod yn rheolwr o bwys, a llwyddodd i atal disgynyddion eraill Madog rhag etifeddu tir. Yn wir, llwyddodd i ymestyn ei etifeddiaeth i gynnwys y rhan fwyaf o'r ardal sy'n cael ei galw yn Faldwyn heddiw; hynny yw, ar wahân i ardaloedd Cedewain (ardal Aber-miwl), Ceri a Threfaldwyn. Roedd Llywelyn ap Gruffydd wedi concro Cedewain a Cheri ac roedd Trefaldwyn yn eiddo i frenin Lloegr. Roedd yr Owain Cyfeiliog hwn yn fardd o fri hefyd. Tua'r gorllewin, ymestynnodd Owain ei deyrnas i gynnwys Mawddwy. Dyma'r ardal a gyflwynodd Owain i'w fab Wenwynwyn – ardal a gafodd ei galw yn Powys Wenwynwyn. Bu'n rhaid i Gruffudd, mab Madog fodloni ar y tiroedd oedd i'r gogledd rhwng afon Tanat ac afon Dyfrdwy. Dyma'r ardal a gafodd ei galw yn Powys Fadog.

Sut cafodd yr hen sir ei enwau Saesneg a Chymraeg, yn yr union drefn yna? Yn 1086 cododd Roger Montgomery, Iarll Amwythig a ffrind William y Concwerwr gastell yn Hen Domen, ar gyrion Trefaldwyn heddiw, gan goncro'r ardaloedd cyfagos a rhoi'r enw Normanaidd, sef enw ei gartref yn Ffrainc, i'r lle. Yn 1102 cafodd arglwydd Normanaidd arall o'r enw Baldwin de Bollers ei apwyntio gan y brenin. Pan symudwyd y castell o Hen Domen i Drefaldwyn, galwai'r Cymry ef yn Gastell Baldwyn. Tyfodd yr enwau Montgomery a Threfaldwyn yn enwau ar y dref a ddatblygodd o gwmpas y castell ac yn enwau ar y sir ei hun wedi'r Ddeddf Uno.

Arglwyddi'r Mers

Daw'r gair Mers o'r enw am y dalaith Seisnig, Mercia. Dyma wlad y gororau gwaedlyd rhwng Cymru a Lloegr dros y canrifoedd. Cafodd arglwyddi a barwniaid, fel Roger Montgomery a Baldwin de Bollers freintiau arbennig

gan frenin Lloegr yn y rhan hon o'r wlad. Cyhoeddodd y brenin writ arbennig yn rhoi hawl i'r arglwyddi hyn i gyhoeddi rhyfel ar eu gelynion ar eu liwt eu hunain. Canlyniad hyn oedd bod y gororau, gwlad y Mers, wedi tyfu i fod yn lloches i ddrwgweithredwyr o rannau eraill o'r wlad. Ar ôl 1282, rhai o'r barwniaid enwocaf oedd y teulu Mortimer yn ardaloedd Ceri a Chedewain ac ymhellach i'r gogledd daeth yr Arglwydd Grey yn Rhuthun yn un o elynion pennaf Owain Glyndŵr.

Mae disgrifiad bras fel hyn o ddatblygiad yr hen sir yn un twyllodrus hefyd. Er bod Clawdd Offa yn dyddio'n ôl i'r wythfed ganrif, mae'n rhyfeddol meddwl bod y Gymraeg yn dal i gael ei siarad yr ochr arall iddo yn y cyfnod ar ôl y Ddeddf Uno yn 1536. Roedd croeso i feirdd yr uchelwyr mewn llefydd fel Llanffynhonwen – Chirbury heddiw, ac aeth Edward Herbert (ganwyd yn 1583) a ddaeth yn Arglwydd Herbert o Lanffynhonwen yn ddiweddarach, i ysgol Plas-y-ward yn nyffryn Clwyd i ddysgu Cymraeg er mwyn medru siarad â'i denantiaid. A hyd yn oed heddiw, mae parhad y Gymraeg ar dafodau trigolion mewn ardaloedd sydd mor agos i gampwaith Offa, ardaloedd fel Dyffryn Tanat, yn ymddangos yn wyrthiol, bron. Felly, ni lwyddodd yr hen Glawdd i gladdu'r Gymraeg yn llwyr.

Parhaodd Sir Drefaldwyn yn un o dair sir ar ddeg swyddogol Cymru tan aildrefnwyd llywodraeth leol yn 1974. Bryd hynny llyncwyd hi yn ôl i grombil yr hen fam, Powys. Gallai'r sinig awgrymu bod y groth a ddisgrifiwyd yn gynharach wedi troi'n fedd bellach a'i bod hi wedi'i chladdu am byth. Ond ni

all yr un ddeddfwriaeth gael gwared â
hanes, tirwedd a thafodiaith Gymraeg a
Saesneg y rhan unigryw hon o Gymru.
Rhoi blas o'r nodweddion hynny yw
pwrpas y gyfrol hon.

Ffurfio'r Dirwedd

Pam ydyw'n bwysig i ni wybod sut y ffurfiwyd a sut y datblygodd y tir yr adnabyddwn ni heddiw fel Maldwyn filiynau o flynyddoedd yn ôl? Mae'r ateb – gobeithio – yng ngweddill y bennod hon. Ceir yr un amrywiaeth o nodweddion daearyddol a geir yng Nghymru gyfan o fewn yr un sir yma; ucheldir yn ei chanol a nifer o ddyffrynnoedd afonydd fel Hafren, Dyfi, Efyrnwy a Thanat yn treiddio o'r tir uchel fel sbôcs olwyn – yn enwedig i'r dwyrain a'r gorllewin. Mae'r tir yn fwynach ac yn llai creigiog na gogledd Cymru. Dim ond Pumlumon a'r Berwyn sy'n codi'n uwch na dwy fil o droedfeddi.

Môr a llosgfynyddoedd

Mae creigiau mwyaf hynafol y sir yn 350 miliwn o oed, ond dydy'r rhain ddim cyn hyned â chreigiau ardaloedd sydd i'r gogledd iddi. Dychmygwch gefnfor yn gorwedd ar draws Prydain o'r gogledd-ddwyrain i'r de-orllewin gyda chyfandir mawr i'r gogledd lle mae Môr yr Iwerydd yn awr.

Safle Maldwyn heddiw oedd gwely'r cefnfor hwn yn ystod y cyfnod Ordofigaidd. Yn ôl daearegwyr roedd y gwely'n suddo gyda llawer o waddod o afonydd y tir mawr a llosgfynyddoedd yn cael ei arllwys i mewn iddo. Yn ne'r sir daethpwyd o hyd i lawer o ffosilau sy'n dynodi terfyn neu draeth y cefnfor hwn.

Y tu allan i ffiniau'r Faldwyn bresennol, yng nghyffiniau'r Berwyn, yr Aran, Breiddin a Chornatyn (Corndon) yn ne-ddwyrain y sir, dychmygwch nifer o losgfynyddoedd yn y môr hwn; mae'n

debyg bod eu copaon uwchlaw'r dŵr. Byddai'r rhain yn ffrwydro'n achlysurol gan achosi i ludw a chymylau o lwch symud dros wyneb y dyfroedd. Rydym yn gwybod hyn am fod creigiau ffrwydrol wedi'u darganfod – yn enwedig yng nghyffiniau Breiddin. Roedd y llosgfynyddoedd hyn yn farw erbyn diwedd y cyfnod Ordofigaidd.

Yn ystod y cyfnod Silwraidd culhaodd y cefnfor hwn gan ddyfnhau yn y canol. Mae'n debyg fod ei ymylon gogleddol, yn ôl tystiolaeth ffosilau i'w canfod yng nghyffiniau mynyddoedd y Berwyn. Ond roedd y môr hwn yn ddwfn iawn yng ngorllewin y sir o Lanymawddwy i Fachynlleth – yn rhy ddwfn i unrhyw beth i fyw ynddo yn ôl y creigiau dulas a gwyrdd tywyll a ddaeth i'r fei yn yr ardal. Drwy'r cyfnod Silwraidd câi gwely'r môr hwn ei wthio i fyny yma a thraw a'i ostwng mewn llefydd eraill. Roedd creigiau wedi'u malu mewn ambell fan, a dyna'r rheswm am dirlun garw a hardd ardal Llyn Llanwddyn; mae'n debyg bod rhannau o'r Berwyn a bryniau Breiddin yn ynysoedd uwchlaw wyneb y môr erbyn hynny.

Y wasgfa fawr

Ar ddiwedd y cyfnod Silwraidd cafodd y mynyddoedd a'r dyffrynnoedd eu ffurfio gan yr hyn mae daearegwyr yn ei alw'n *Caledonian Orogeny*. Gwasgwyd gwely'r môr o gyfeiriad y de-ddwyrain gan ffurfio plygiadau'r mynyddoedd a'r dyffrynnoedd a welir heddiw yn rhedeg o'r de-ddwyrain i'r gogledd-orllewin. Y prif blygiad yw Hollt Canolbarth Cymru sy'n rhannu'r sir yn orllewin a dwyrain. Felly, 320 miliwn o flynyddoedd yn ôl, y digwyddiad hwn a barodd y byddai afonydd Dyfi a Thwymyn yn llifo i Fae Ceredigion ac afonydd Hafren ac Efyrnwy i'r dwyrain.

Byddai'r cefndeuddwr pwysig hwn yn dylanwadu ar y math o ffermio a fyddai'n digwydd yno'n ddiweddarach a hyd yn oed yr ieithoedd a'r tafodieithoedd a fyddai'n cael eu siarad yno, ac ar y diwydiannau hefyd. Am nad oedd y creigiau celyd yn plygu, roeddent yn cracio gan wthio llechfeini i'r wyneb yn ardal Aberllefenni a phlwm, copr a sinc yng ngorllewin Maldwyn a gogledd Ceredigion.

Ar ôl cyfnod ffurfio'r mynyddoedd, diflannodd y môr a chafwyd cyfnod o sychder ac anialwch, yn debyg i ganol Asia heddiw. Ni cheir llawer o olion y cyfnod ym Maldwyn ei hun, ar wahân i goedwig Clun ar gyrion y sir. Wedi hyn, parhaodd y Cyfnod Triasig am 30 miliwn o flynyddoedd, ac yn ôl y sôn arferai llyn neu fôr Canoldirol fod yn nwyrain y sir bryd hynny, ond dŵr tebyg i'r hyn a geir mewn anialwch oedd hwn, a doedd dim llawer o fwyd i'w gael ynddo.

Iâ – y cerfiwr mawr

Daeth Oes yr Iâ i ben tua deng mil o flynyddoedd yn ôl. A ddylanwadodd yr iâ ar ffurf y Faldwyn bresennol? Fel y nodwyd yn gynharach roedd y *Caledonian Orogeny* wedi gwasgu'r tir yn blygiadau; anticleiniau a synclinau yn iaith y daearegwr. Roedd y rheiny'n eithaf cul cyn Oes yr Iâ, ond yn ystod y cyfnod hwnnw llifodd rhew o'r tir uchel o'r tu allan i'r sir – o gyffiniau mynyddoedd y Berwyn i'r gogledd a bryniau Ceri a Phumlumon – a llifo drwyddi'n araf.

Ymunodd y rhewlifau hyn â'i gilydd yn y gorllewin i ffurfio rhewlif Dyfi ac yn y dwyrain i ffurfio rhewlif Hafren. Canlyniad hyn oll fu'r ddau ddyffryn llydan a ffrwythlon a fu mor bwysig i economi amaethyddol y sir wedi hynny.

Ceir olion eraill o effaith y cerfiwr mawr ar ddaeareg y sir. Ar y ffordd fynydd rhwng Penffordd-las a Dylife mae golygfa drawiadol o'r Ffrwd Fawr lle mae'r afon Twymyn yn rhaeadru dros 140 troedfedd o gwymp. Mae gwaelod y rhaeadr yn enghraifft o'r hyn y mae daearegwyr yn ei alw'n afongipiad *(river capture)*. Os edrychwch i gyfeiriad Penffordd-las gallwch weld yr hen ddyffryn ar ffurf **U**. Dyna oedd cwrs yr afon cyn Oes yr Iâ. Ar waelod y rhaeadr tyrchodd yr afon yn ddyfnach gan achosi iddi newid ei chwrs yn sydyn a llifo tua'r gogledd i gyfeiriad Llanbryn-mair. Mae'r ochrau creigiog hyn ar ffurf **V** yn enghraifft wych o ddyffryn a gafodd ei erydu ar ôl Oes yr Iâ.

Cyndeidiau Cynnar

Yn Llangadfan yn 1883 cododd ffermwr hen gist gladdu wrth aredig. Dyna pryd y dechreuwyd ystyried pwysigrwydd olion o gyfnod cynhanes y sir o ddifrif. Trefnwyd y cloddio archeolegol cyntaf ar safle hen fynachlog Ystrad Marchell ger y Trallwng yn 1891. Erbyn heddiw mae dulliau soffistigedig iawn yn cael eu defnyddio i chwilio am hanes ein cyndeidiau cynharaf. Cawn gip ar rai o'r darganfyddiadau a'r dulliau yn y bennod hon.

Pa mor bell allwn ni fynd yn ôl ym Maldwyn? Ym Mhorth-y-waun, Dyffryn Tanat daethpwyd o hyd i asgwrn bachog, miniog a oedd yn ffurfio blaen gwaywffon ac yn perthyn i'r cyfnod Palaeothig Uwch – sef 12,000 CC. Mae'n debyg iddo fod yn un o arfau'r helwyr nomadaidd o dde Prydain a ddôi i'r ardal i hela am geirw, ceffylau ac anifeiliaid llai:

Serch hynny, daw'r rhan fwyaf o'r darganfyddiadau cynharaf o gyfnod Mesolithig, sef tua 5,000 CC. Helwyr-gasglwyr oedd y trigolion. Pa fath o le oedd Maldwyn bryd hynny? Roedd yr hin wedi dechrau cynhesu'n raddol ar ôl cyfnod Oes yr Iâ. Roedd coedwigoedd bedw wedi ildio'u lle i goed derw o tua 6,800 CC a choed gwern o 5,500 CC. Wedi hynny lleihaodd nifer y coed cyll a bedw, a diflannodd y coed pîn wrth i'r hin gynhesu. Erbyn 3,500 CC roedd hi ychydig yn gynhesach na'n hinsawdd ni heddiw. Ond y brif nodwedd oedd bod y coedwigoedd hyn yn tyfu ar yr ucheldir hefyd, hyd at 1,700 o droedfeddi o uchder.

Yr ucheldir hwn oedd cartref y trigolion a'r carw coch, yr iwrch a'r elc; er ei bod yn debyg eu bod wedi dechrau symud yr anifeiliaid i dir is yn ystod y gaeaf. Pa dystiolaeth sydd gennym ni o hyn ym Maldwyn? Ar dir isel yn Llandysilio (Four Crosses), dim ond 213 troedfedd uwchben lefel y môr, daethpwyd o hyd i gerrig a gafodd eu siapio fel offer. Drwy ddefnyddio dulliau radio-carbon, dyddiwyd golosg sydd i'w gael ar y safle yn ôl i'r chweched mileniwm Cyn Crist. Ar dir uwch fel bryniau Ceri, Breiddin, Collfryn, Llansanffraid ac Ystrad Hynod yng nghyffiniau Clywedog daeth llawer o gerrig celyd neu fflintiau i'r golwg.

Pryd, felly, y dechreuodd y trigolion cynnar hyn newid o gasglu a hela i amaethu? Mae'n anodd bod yn fanwl ond mae'n debyg bod diwedd y pumed mileniwm Cyn Crist, sef y cyfnod Neolithig, yn go agos at ddechrau'r broses. Erbyn hynny roedd y tywydd yn dechrau oeri a'r hafau byrion, braf a'r gaeafau hir yn golygu ei bod hi'n haws clirio'r coed ar yr ucheldir. Ar ôl gwneud hynny, roedd hi'n bosib iddynt glirio llefydd i fyw, tyfu grawnfwyd a chadw defaid a gwartheg dof. Dyna oedd y patrwm ledled gorllewin Ewrop ar y pryd. A'r dystiolaeth? Yn ardal Carno codwyd pâr o fwyeill cerrig, ac mae bwyeill a sgleiniwyd sy'n dod o gyffiniau afon Hafren yn dynodi eu bod wedi cael eu defnyddio ar gyfer cwympo coed i glirio'r tir a gwneud gwaith saer amrwd i godi 'tai' i fyw ynddynt.

Yn 1979, yn Nhrelystan ar y Mynydd Hir darganfuwyd bedd sy'n perthyn i gyfnod diweddarach; mae hwn wedi bod o gymorth i ddarganfod safleoedd aneddleoedd sy'n dyddio'n ôl i 2900-2500 CC. Gwyddom hyn am fod archeolegwyr wedi dod o hyd i grochenwaith sydd â rhychau ynddo. Yno roedd tri neu bedwar 'adeilad' ar ffurf cwch gwenyn yn mesur 4 medr wrth 4.5 medr gyda thrawstiau tenau wedi'u clymu yn y canol. Tu fewn, roedd olion lle tân ar gyfer coginio yn y canol. Drwy ddefnyddio dulliau radio-carbon i ddyddio'r golosg a ddarganfuwyd yn y lle tân, gwyddom mai coed fel cyll, criafol a drain gwynion a dyfai yno. Coginio yn y canol a chysgu o gwmpas y waliau oedd y drefn. Roedd planhigion gwyllt fel mafon, afalau a gweunwellt yn dynodi beth oedd eu bwydlen.

Cafodd fflintiau a naddwyd yn offer syml fel llafnau a chrafwyr yn ogystal â phennau saethau ar ffurf dail eu darganfod ar y safle. Dadorchuddiwyd arch dderw dan garnedd o gerrig ac mae honno'n dyddio'n ôl i'r flwyddyn 3,000 CC. Felly mae'n amlwg i'r trigolion fyw, gweithio a marw ar y safle ac mae'n debyg eu bod yn llwyth symudol am fod arfau ac offer wedi'u gadael ar frys, heb eu cwblhau yno.

Dull cyfoes arall o ddarganfod hen olion yw tynnu lluniau o'r awyr. Dyna sut y sylwyd bod cofeb neu *henge monument* i'w gael yn Wtra'r Dyffryn ger Aberriw, sef patrwm cymhleth o garneddi claddu a safle ar gyfer defodau yn dyddio'n ôl i 3000-2500 CC. Tynnwyd Maen Beuno o'r safle yn ystod y bedwaredd ganrif ar bymtheg, a gellir ei weld gerllaw.

Wrth adeiladu ffordd osgoi'r Trallwng ger Sarnbryncaled yn ddiweddar, daeth cofeb arall a oedd yn pontio'r cyfnodau Neolithig a'r Oes Efydd i'r amlwg. Cafodd cylch coed o'r safle ei ailgodi yn Amgueddfa Werin Sain Ffagan. Ar y safle hwnnw roedd clostir ffos 400 medr o hyd, ac mae archeolegwyr yn tybio iddo gael ei ddefnyddio at ddiben seremonïol. Roedd cerrig yn dal yn bwysig yng nghyfnod yr Oes Efydd, sef y blynyddoedd yn dilyn 2,500 CC. Er enghraifft, codwyd cant o bennau saethau ym Mugeilyn a gwarchodwr garddwrn o gerrig yn dyddio'n ôl i 1,900 CC yng Ngharneddau, Carno. Mae'n debyg fod yr ail wedi helpu'r saethwyr i fod yn fwy effeithiol.

Drwy astudio paill, cred archeolegwyr nad oedd pobl wedi cael effaith fawr ar yr amgylchedd yn y cyffiniau hyn. Mae'r meini a'r crochenwaith sydd wedi'u haddurno ynghyd â'r cwrsws ar ochr orllewinol afon Hafren yn awgrymu efallai fod ffordd o fyw mwy soffistigedig wedi datblygu yno nag ar yr ochr arall i'r afon. Ond yn fuan iawn cliriwyd y coed ar gyfer amaethu, a dyna pryd y dechreuodd dyffryn Hafren ddatblygu'n dramwyfa i syniadau ac arferion newydd.

Yr Oes Haearn

Er i'r dechnoleg haearn ymddangos erbyn tua 700 CC, treiglodd rhai canrifoedd cyn i haearn ennill ei blwyf. Parhaodd y cyfnod tan i'r Rhufeiniaid gyrraedd canolbarth Cymru yn 70 AD. Erbyn cyfnod y goncwest roedd llwyth yr Ordofigiaid yn teyrnasu yn yr ardal. Daw rhan gyntaf yr enw o'r gair Brythonig 'gordd', sy'n awgrymu mai ymladdwyr â gyrdd oedd y rhain. Does neb yn sicr ble'r oedd y ffin rhwng y llwyth hwn a llwyth y Cornovii a deyrnasai ardal orllewinol canoldir Lloegr.

Dyma'r cyfnod y cynyddodd y nifer o gaerau a'r boblogaeth i ddegau o filoedd. Roedd tua 250 o gaerau neu dir wedi'i gau o fewn ffiniau'r sir, gyda'r rhan fwyaf ohonynt yn nwyrain y sir a'r prif gaerau yng Nghraig Rhiwarth (Llangynog), Llanymynech, Gaer Fawr (Cegidfa), Ffridd Faldwyn (Trefaldwyn) a Chefn Carnedd (Llandinam). Roedd y rhain yn ganolfannau pwerus yn eu dydd — tua 10 cilomedr oddi wrth ei gilydd a 200 medr uwchben lefel y môr.

Dyffryn Dyfi

Mae'r priffyrdd a'r rheilffyrdd sy'n hollti Maldwyn yn dilyn dyffrynnoedd y prif afonydd: Dyfi, Hafren, Twymyn, Tanat a Banw. Fel arfer, byddwn ni Gymry Cymraeg o'r tu allan i Faldwyn yn teithio ar hyd y ffyrdd hyn wrth wibio rhwng gogledd a de Cymru. Weithiau, byddwn yn ymuno â'r miloedd o Saeson a fydd yn teithio rhwng y dwyrain a'r gorllewin i drefi glan môr fel Aberystwyth a'r Bermo. Yn y penodau dilynol cewch eich tywys i werthfawrogi'r golygfeydd, yr adeiladau a'r bobl sydd – ac oedd – yn bwysig o bobtu'r ffyrdd hyn.

O gyfeiriad Aberystwyth a'r de croesir y ffin i Faldwyn toc ar ôl gweld gogoniant llydan aber afon Dyfi ym mhentref Glandyfi. Yn ôl un hen draddodiad roedd hi'n arfer bod yn bosib clywed ceiliog yn canu o dair sir yn y fan hyn: Ceredigion, Meirionnydd ar draws yr afon a Maldwyn ei hun. Dyma lle mae'r sir yn cael ei gwasgu'n bigfain ar fap. Ac wrth nesáu at bentref Derwen-las dyma'r man, yr unig fan, lle mae'r môr fel petai'n golchi'i thraed.

Derwen-las a dyffryn Llyfnant

Ar y ffordd i mewn i'r pentref gwelir cei Quay Ward ar y chwith. Roedd hi'n olygfa gyffredin ar ddechrau'r bedwaredd ganrif ar bymtheg i weld tua phedwar ugain o gychod a llongau hwyliau yn aber afon Dyfi rhwng Aberdyfi a Derwen-las pan ddôi'r llanw i mewn. Roedd y porthladd yn un prysur cyn i'r rheilffordd sy'n mynd drwy Machynlleth agor yn nechrau'r 1860au. Ymddangosodd erthygl mewn papur newydd yn 1847 yn rhestru'r allforion a'r mewnforion. Maent yn ddiddorol am eu bod yn rhoi darlun o grefftau a diwydiannau'r ardal:

Allforion:
500 tunnell o risgl coed
40,000 troedfedd o goed
150,000 o bolion derw
1,500 tunnell o lechi – chwareli Corris ac Aberllefenni

Tua'r un adeg nodir bod 586 tunnell o fwyn plwm o Ddylife wedi'i allforio hefyd:

Mewnforion:
5,000 qrs o ryg a gwenith
1,000 tunnell o lo
2,000 o galchfaen
11,000 o ledr Seisnig a lledr tramor
Nwyddau eraill gwerth £14,000

Roedd tair iard adeiladu llongau mewn bri yno hefyd ger Tafarn Isa, Quay Ward a Llynbwtri, a chofrestrwyd tua deg llong rhwng 1816 a 1860. Y *Rebecca* oedd y llong olaf i gael ei hadeiladu yn Quay Ward gan John Evans, Morben Isa, masnachwr coed lleol.

Rhwng Derwen-las a Machynlleth mae dyffryn cul a phrydferth yr afon Llyfnant ar y dde yn arwain i bentref Glaspwll. Toc ar ôl troi i fyny'r dyffryn mae ffermdy Gelli-goch, cartref teulu'r radical gwleidyddol, Hugh Williams (1796-1874). Priododd Catherine, chwaer ieuengaf Hugh â Richard Cobden, y diwygiwr cymdeithasol o Sais ac fe sonir am y ddau eto mewn cysylltiad â gwaith plwm Dylife.

Roedd Hugh yn gyfreithiwr yng Nghaerfyrddin ac yn gysylltiedig â mudiadau'r Siartwyr a Merched Beca. Honnir iddo drefnu cyfarfod cyntaf

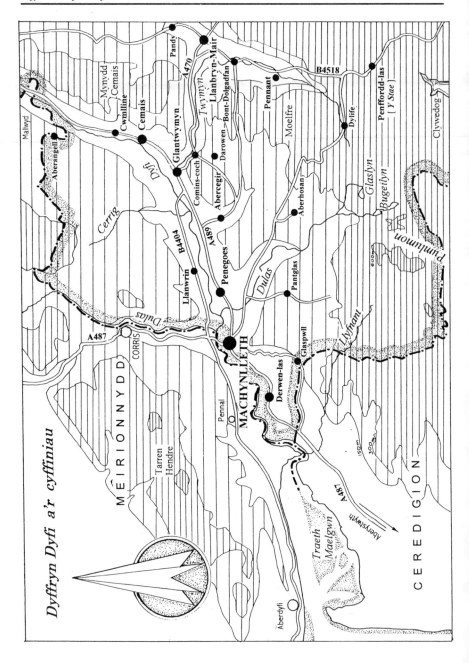

Siarter y Bobl yng Nghymru yn 1836, ac yntau oedd y prif siaradwr mewn cyfarfod ynghylch y Siarter yn y maes glo ym Merthyr yn 1838. Flwyddyn yn ddiweddarach amddiffynnodd Siartwyr Llanidloes pan oedd y rheiny o flaen eu gwell yn y Trallwng yn dilyn yr helynt yng ngwesty'r *Trewythen*. Yn ystod 1843 agorodd yr awdurdodau ei lythyrau mewn cysylltiad â helynt Merched Beca.

Roedd ei fywyd personol yr un mor lliwgar â dweud y lleiaf. Adnabyddid ef yn ardal ei gartref yn Sain Clêr fel *Hugh Williams of the hundred bastards*, a chafodd wared â thenant (a oedd bum mlynedd ar hugain yn hŷn nag ef) o stad ei wraig er mwyn cael y tŷ iddo ef ei hun. Arferai merched Cobden a Catherine ei chwaer ei alw'n 'ewyrth drwg'.

Ym mhen draw'r dyffryn ganed Owen Owen (1847-1910) yn fferm Cwmrhaeadr. Roedd yn ŵr a gafodd ei ddisgrifio fel 'Robert Owen y fasnach ddillad', ac yn ôl un sylwebydd ar ei fywyd mae'n gyd-ddigwyddiad rhyfedd bod y ddau'n hanu o'r un sir ac yn rhannu'r un cyfenw. Darparai lety i'w weithwyr, a chyflwynodd y gwyliau hanner diwrnod ymhell cyn i ddeddf Lloyd George ar Oriau Gweithio mewn Siopau gael ei basio yn 1912.

Sefydlodd ei fusnesau siopau adran lwyddiannus yn Lerpwl, ac mae ei enw'n parhau i fod yn hysbys ar y stryd fawr ac yn ei ardal enedigol. Llwyddodd i brynu fferm y Bwlch, ym mlaenau'r dyffryn – fferm y methodd ei dad dalu'r morgais arni – a phrynodd stad Garthgwynion ar ôl iddo wneud ei ffortiwn. Mae canolfan y Tabernacl yn nhref Machynlleth yn dal i dystio i gyfraniad ei ddisgynyddion fel noddwyr diwylliant heddiw.

Machynlleth

'Rôl blino treiglo pob tref
Teg edrych tuag adref.

Ieuan Llawdden, a oedd yn offeiriad ym Machynlleth (tua'r flwyddyn 1450) a gyfansoddodd y cwpled hwn, ac yn ôl bost yr arwyddion ffyrdd, Machynlleth ydi cartref 'prifddinas hanesyddol Cymru'.

Mae'r strydoedd yn llydan ac ar ffurf y llythyren T. Mae'r hen enwau sydd arnynt yn tystio'i safle canolog: Heol Gwŷr y Deheubarth – Heol Pentrerhedyn heddiw – yn dod i mewn o gyfeiriad y de, Heol Gwŷr y Gogledd – Heol Penrallt heddiw – yn mynd i gyfeiriad Pont ar Ddyfi a Heol Gwŷr Cyfeiliog – Heol Maen-gwyn heddiw – yn fan cychwyn ein taith i fyny dyffryn Dyfi.

Tref yw hi sydd wedi tyfu o gwmpas y man isaf i groesi afon Dyfi – afon sy'n dal i beri i'r ffordd gau yng nghyffiniau Pont-ar-Ddyfi ar dywydd glawog. Yn edrych lawr arni mae dwy gaer Frythonig – Cae'r Gog, neu'r Wylfa, a Chaer Gybi a fu mae'n debyg yn cadw llygad ar drafael y dyffryn oddi tanynt. Erbyn 1291 cafodd Owain de la Pole hawl i gynnal marchnad bob dydd Mercher a dwy ffair y flwyddyn ym 'Maghentleyt'. Ceir digon o adeiladau trawiadol; sowldiwr Cloc y Tŵr yn ei chanol, a oedd yn anrheg pen-blwydd dod i oed i Charles Stuart yn 1873 – ef oedd mab hynaf y Plas ar y pryd. Hanner canllath i lawr y ffordd o'r cloc gallwch weld y Royal House, ac yma yn ôl traddodiad, y carcharwyd Dafydd

Gam o sir Frycheiniog a feiddiodd ddod i geisio llofruddio'r gŵr enwocaf a gysylltir â Machynlleth – Owain Glyndŵr. Gyda thalcen Royal House arweinia'r stryd i'r Garsiwn, a ddaw o'r gair Saesneg *garrison* – arwydd arall o'r cysylltiad milwrol â chyfnod Glyndŵr.

Hanner ffordd i fyny Heol Maengwyn mae'r Senedd-dy – yr adeilad pwysicaf sy'n cael ei gysylltu â'r arwr. Symbol yw'r adeilad bellach; go brin ei fod yno yng ngwanwyn 1404 pan goronwyd Owain yn dywysog Cymru ym mhresenoldeb cenhadon o'r Alban, Ffrainc a Sbaen. Fel hyn y disgrifia Twm Morys arwyddocâd y digwyddiad yn y gyfrol *Triawd Machynlleth*:

> Ddaw dim byd tebyg i ran Machynlleth eto am 600 mlynedd. Fydd Owain byth eto yn cynnal senedd yma, nac yn gwneud y dre' yn brifddinas iddo. Mi fydd hen rythu hefyd ar y tŷ wrth groes y farchnad, lle bu Dafydd Gam yn gaeth. Am fil o genedlaethau a mwy, hawl y dre' i'w lle yn y Llyfr fydd bod Owain Glyndŵr, Tywysog Cymru, wedi bod yma, yn galw senedd i'r Cymry i gyd.

Yn ei lyfr meistrolgar, *The Revolt of Glyndŵr* dangosodd yr Athro Rees Davies sut y tyfodd yr Owain Glyndŵr hanesyddol – a lwyddodd i danio Cymru benbaladr i fod yn arwr cenedlaethol a rhyngwladol yn ystod y chwe chan mlynedd ar ôl ei ddiflaniad.

Ceir y darlun cyntaf ohono gan haneswyr o Loegr fel Ralph Holinshed (1578); canolbwyntiodd yntau ar rai digwyddiadau fel llosgi cestyll a threfi a dal Reginald Grey ac Edmund Mortimer. Y Cymro tanllyd hwn a geir ym mhortread Shakespeare yn y ddrama *Henry IV Part One* – cyfeiria at *'the irregular and wild Glendower'*. Thomas Pennant, y teithiwr a'r sylwebydd craff yn y ddeunawfed ganrif a drodd y rebel yn arwr cenedlaethol. Soniodd yntau am bortreadau cynnes beirdd fel Iolo Goch ohono gan glirio llawer camargraff a gafwyd yn narlun haneswyr Seisnig blaenorol.

Erbyn y bedwaredd ganrif ar bymtheg daeth rhagor o lythyron a dogfennau am gyfnod Glyndŵr i'r golwg a oedd yn profi iddo fod yn arweinydd milwrol craff. Serch hynny, o Ffrainc yn ystod y bedwaredd ganrif ar bymtheg y daeth yr hwb a gododd Owain Glyndŵr ar bedestal gwladweinydd rhyngwladol. Cyhoeddwyd llythyr enwog a anfonodd Owain Glyndŵr o Bennal a oedd yn amlygu ei ddyheadau am Gymru annibynnol yn wleidyddol, addysgol a chrefyddol.

Fel y tyfodd yr ymwybod cenedlaethol yn ystod yr ugeinfed ganrif, tyfodd Owain yn fwy o arwr cenedlaethol na'r un arall. Yn ddiweddar codwyd cofeb iddo ar y lawnt o flaen Canolfan Celtica, sef y Plas gynt, ac arni argraffwyd englyn o waith Dafydd Wyn Jones sy'n crisialu'r ddelwedd genedlatholgar gyfoes ohono:

> Owain, tydi yw'n dyhead – Owain
> Ti piau'n harddeliad
> Piau'r her yn ein parhad
> A ffrewyll ein deffroad.

Y Plas a Celtica

Gyferbyn â'r Senedd-dy mae mynedfa

i'r Plas (safle canolfan Celtica bellach), a oedd yn lle a gafodd ddylanwad mawr ar y dref. Rhoddodd waith i'w thrigolion ar un llaw, a seisnigodd eu tafodau ar y llaw arall. Syr John Edwards a wnaeth ei ffortiwn fel perchennog gwaith plwm y Fan ger Llanidloes ac a ddaeth yn Aelod Seneddol dros Fwrdeistref Maldwyn a newidiodd enw hen stad Greenfields yn Plas Machynlleth yn y 1840au. Priododd Syr John â Harriet, gweddw John Owen Herbert, Dolforgan Ceri yn 1845. Eu hunig blentyn oedd Mary Corellia, a phriododd hithau â George Henry Vane-Tempest a ddaeth yn bumed Ardalydd Londonderry yn ddiweddarach. Hwy ddatblygodd y Plas i fod yn brif gartref i'r teulu enwog hwn yn ystod ail hanner y bedwaredd ganrif ar bymtheg. Cawsant chwech o blant; cyfeiriwyd at yr hynaf, Charles Stuart eisoes mewn cysylltiad â Chloc y Tŵr, a chodwyd Ysgol Babanod Vane yn Heol y Doll i ddathlu'i enedigaeth hefyd. Y trydydd mab oedd yr Arglwydd Herbert a fu'n byw yn y Plas ar ôl marwolaeth ei fam yn 1906. Roedd o'n gyfaill i'r brenin Edward y seithfed, yn ogystal â'i fab, y brenin Siôr y pumed. Daeth ei fywyd i ben mewn ffordd drasig yn 1921; cyfeirir at hynny eto mewn cysylltiad ag Aber-miwl.

Wedi i'r adeilad gael ei drosglwyddo i fod yn ganolfan weinyddol i'r cyngor sir newydd ym Mhowys yn 1974, daeth y Plas i amlygrwydd cenedlaethol yng nghanol y 1990au fel Canolfan Celtica. Trwy gyfrwng offer clywedol ac arddangosfa soffistigedig daeth Celtica yn gyrchfan boblogaidd i ysgolion, grwpiau ac

ymwelwyr. Mae'n cynnig dehongliad hanesyddol a diwylliannol o hanes Cymru o gyfnod y Celtiaid tan y presennol.

Bellach, byddai'n gywirach, efallai, galw Machynlleth yn 'brifddinas amgen Cymru'. Yn ogystal â Siop y Chwarel, sy'n cyfeirio at chwarel Llwyngwern ger Ceinws, safle'r Ganolfan Dechnoleg Amgen fyd-enwog, mae siopau dillad a chelf liwgar eraill wedi gwneud y lle'n dynfa i gwsmeriaid soffistigedig sy'n chwilio am gynnyrch gwahanol ac amgenach na'r siopau stryd fawr labelog. Felly, ers y 1980au a'r 1990au ceir y teimlad mai tref liwgar a ddaeth allan o'i chragen ydi Machynlleth.

Dolguog/Abercuawg

Wrth deithio allan o'r dref i fyny'r dyffryn gwelir arwydd ar y chwith yn cyfeirio at westy *Dolguog*. Gellir canfod y cyfeiriad cyntaf a gafwyd at y lle yn y gerdd *Claf Abercuawg*, cyfres o englynion sy'n gysylltiedig â Llywarch Hen, yr hen bennaeth a gollodd ei feibion wrth amddiffyn Powys ar ffin ddwyreiniol y sir. Yn yr englynion mae'r claf yn cwyno am nad yw'n gallu mynd i ryfela, ac ynddynt ceir y cyfeiriad enwog at y cogau'n canu yno: 'Yn Abercuawg yd canant cogau'. Dyma'r lle a ysbrydolodd ddarlith enwog y bardd R.S. Thomas yn Eisteddfod Genedlaethol Wrecsam yn 1977.

Penegoes ac Abercegir

Gall pentref Penegoes, sydd hanner milltir i fyny'r ffordd ymfalchïo yn y ffaith bod tad mwy diweddar â chysylltiad â'r lle – Richard Wilson yr arlunydd, 'tad y tirlun'. Ganed ef tua 1813 yn fab i reithor Penegoes, ac fe ddaeth yn enwog am beintio golygfeydd yn yr Eidal, Lloegr a Chymru. Ceir amryw o fersiynau o'i luniau o Lyn Cau, Cader Idris a dyffryn Mawddach. Derbyniodd nawdd ariannol gan Syr George Wynne o Goed Llai ger yr Wyddgrug a pherthynas o ochr ei fam, a sicrhaodd le iddo fel prentis i'r arlunydd portreadau Thomas Wright yn Llundain.Treuliodd ei ddyddiau olaf, digon tlawd yn ôl yr hanes, mewn lle o'r enw Colomendy ger yr Wyddgrug. Roedd ei gyfraniad fel arlunydd yn un pwysig, ac fe ddaeth yn un o aelodau cynharaf yr Academi Frenhinol yn Llundain.

Ar y dde wrth deithio i mewn i Benegoes mae ffarm Penrhos-mawr yn amlwg ar godiad tir. Mae'n un o nifer o ffermydd yn nyffryn Dyfi a gartrefai uchelwyr a roddai groeso i feirdd y bymthegfed ganrif. Cafodd Lewys Glyn Cothi lawer o nosweithiau difyr yno gyda noddwyr fel Bedo ap Rhys, ac yn aml, byddent yn partïo tan y wawr. Fel hyn y disgrifiodd y nosweithiau hynny a haelioni'i noddwr:

Galw am ddyfod diodydd,
Gwyliaw tân nes gweled dydd,
Cymell yn gadarn arnaf
Arian ac aur, hyn a gaf.

Ar y ffordd rhwng Penegoes a Glantwymyn gallwch weld ffermydd ffrwythlon eraill a fu'n cartrefu noddwyr beirdd yn ystod yr un cyfnod – llefydd fel Aberffrydlan ac Abergwydol sydd ar y chwith i'r ffordd. Bu beirdd fel Owain Gwynedd yn sôn am y cwrw a'r croeso a oedd yn llifo yno:

Aber y glêr yw bîr glân
Braff radwledd Aberffrydlan.

Mae'n rhaid troi oddi ar y briffordd i ymweld ag Abercegir. Ar y dde yn flynyddol bob mis Awst bellach cynhelir perfformiadau theatrig unigryw o'r enw Equilibre yng Ngharreg-y-Fuddai. Yn y rhain, y gynghanedd rhwng pobl a cheffylau a hyfforddwyd yn arbennig ydi'r atyniad.

Mae i Abercegir ei siâr o enwogion. May Hughes neu Mai o Fôn o Abercegir oedd un o dair merch â'i emynau yn hen Lyfr Emynau'r Methodistiaid – Ann Griffiths a Chranogwen oedd y ddwy arall. Dyma bentref arall ar lan afon a oedd yn drwm dan ddylanwad rhodau dŵr y diwydiant gwlân. Pan gaeodd John Vaughan ddrws ei ffatri yn 1964, caewyd drws olaf diwydiant a gafodd ddylanwad aruthrol ar Faldwyn.

Yn Nhal-y-Wern Fach y ganed Rhys J. Hughes (1862-1917) a enillodd enwogrwydd wrth sefydlu Eisteddfod y Plant.

Mathafarn a Phrifwyl 1981

Ar ôl pasio'r troad ar y dde am bentref Abercegir mae'r ffordd yn dringo, ac yn fuan wedyn gellir gweld dyffryn Dyfi 'a chloddiau gwyrdd Llanwrin', chwedl Iorwerth Peate, yn eu gogoniant oddi tanoch ar y chwith. Yn swatio o'r golwg yn y coed mae hen blasty Mathafarn, lle bu Dafydd Llwyd yn cyfansoddi cywyddau, yn croesawu beirdd ac yn cynghori darpar-frenhinoedd. Hwn oedd prif blasty'r ardal a chanodd y beirdd glodydd i'r teulu a'u croeso o'r bedwaredd ganrif ar ddeg tan yr ail ganrif ar bymtheg.

Roedd Dafydd Llwyd ei hun (1395-1486) yn cael ei ddisgrifio fel bardd-broffwyd mwyaf y bymthegfed ganrif yng Nghymru. Yn ei gyfnod ef roedd cred ar led bod arweinydd o Gymro, 'y Mab Darogan', am godi i wisgo'r goron. Harri Tudur oedd y gŵr a wireddodd ddymuniad y beirdd, ac yn ôl traddodiad, treuliodd noson ym Mathafarn ar ei ffordd i frwydr Bosworth yn 1485. Tyfodd nifer o straeon am ei arhosiad yno. Yn ôl un stori fe ofynnodd Harri i Dafydd Llwyd broffwydo'i dynged ar faes y frwydr. Mewn penbleth ynglŷn â'r ateb y dylai roi, gofynnodd i'w wraig am gyngor, a dywedodd hithau wrtho am broffwydo buddugoliaeth gan na ddeuai'n ôl i ddannod iddo pe digwyddai iddo golli!

Gyferbyn â'r plasty, ar draws y ffordd sy'n arwain i bentref Llanwrin oedd safle Prifwyl 1981. Yn yr ŵyl honno y perfformiodd Cwmni Theatr Maldwyn eu sioe gerdd gyntaf, *Y Mab Darogan*. Olrhain gyrfa Owain Glyndŵr a wnaed yn y perfformiad ysgubol hwnnw. Felly, gwaddol 1981 yw Cwmni Theatr Maldwyn sy'n dathlu ei ben-blwydd yn un ar hugain mlwydd oed ym Meifod eleni.

Mae'r olygfa o'r brifffordd wedi newid ers 1981. Ar dir fferm Brynmelyn gyferbyn â'r ffordd fawr darluniodd y ffermwyr, Mr Hugh Jones Ddraig Goch enfawr ar ochr y bryn i ddathlu dyfodiad y flwyddyn 2000, sy'n profi fod ysbryd 'y mab darogan' yn dal yn fyw yn y dyffryn. Wrth edrych ymhellach i fyny'r dyffryn ni allwch fethu breichiau enfawr melinau gwynt Mynydd y Cemaes, y cyntaf o nifer o ffermydd gwynt a ddatblygwyd i gyflenwi egni adnewyddol ym Maldwyn – datblygiad sy'n parhau i achosi cryn ddadlau wrth bwyso a mesur ei effaith ar yr amgylchedd ledled Maldwyn.

Llanwrin a Daniel Silvan Evans (1818-1903)

Mae ambell le, yn enwedig llefydd nad oes rheswm i ni ymweld â nhw, yn cael eu stampio gan gerdd neu lun. Mae cwpled Iorwerth Peate wedi gwneud hynny i Lanwrin:

a phan fo'r mwyar fyrdd ar fyrdd
Ar gaeau gwyrdd Llanwrin.

Gwir dweud bod ffrwythlondeb dyffryn Dyfi ar ei orau yma.

Yn y rheithordy ym Mhlas Wrin, yr ymgartrefai Daniel Silvan Evans tra oedd yn rheithor rhwng 1876 a 1903. Yn enedigol o Geredigion, roedd yn ysgolhaig ac yn eiriadurwr, a thra oedd yn rheithor yn Llanwrin cafodd y fraint o fod yn Athro cyntaf y Gymraeg ym Mhrifysgol Cymru, Aberystwyth rhwng 1875 a 1883. Er iddo gyhoeddi pedair cyfrol o gerddi ac emynau, caiff ei gofio fel golygydd a chyfieithydd *Llyfr Du Caerfyrddin*, *Llyfr Aneirin* a *Llyfr Coch Hergest* ac yn bennaf fel geiriadurwr. Rhoddodd ei fryd ar gyhoeddi geiriadur Cymraeg o'r un safon â'r *Oxford English Dictionary*. Ni ddaeth i ben â chyflawni'r dasg enfawr am ei fod rhy brysur, ond cyhoeddwyd darnau o'i waith yn gyson rhwng 1887 a 1906 ar ôl iddo farw.

Glantwymyn a Chemaes

Pentref a dyfodd yn sgîl dyfodiad y rheilffordd yn 1863 oedd Cemaes Road. Yn ystod y 1920au a'r tridegau roedd tri neu bedwar o fasnachwyr glo yn gweithio yno. Ar ôl cau'r orsaf yn 1965 collwyd y cysylltiad uniongyrchol â'r lein, ond hyd yn oed heddiw, fedrwch chi ddim osgoi sŵn a rhuthr trenau ysbeidiol gan fod y ffordd haearn yn cydredeg â'r ffordd fawr drwy'r pentref. Roedd yr orsaf yn gyffordd ar un adeg gan fod lein Dinas Mawddwy a lein y Cambrian yn uno yma hyd at 1950; yr adeg honno, cludo nwyddau yn unig a wnâi, ond arferai gludo teithwyr o'r Dinas i'r pentref hyd at 1931.

Yn y gyfrol *Rhwng Dau Fyd* mae'r diweddar Iorwerth Peate yn disgrifio pwysigrwydd yr orsaf i ddisgybl ysgol wrth geisio teithio rhwng Llanbryn-mair a Machynlleth yn nechrau'r ugeinfed ganrif:

> Y gamp felly oedd teithio o'm cartref i Gemais Road erbyn naw o'r gloch y bore ac ymlaen ar 'draen y Dinas' i Fachynlleth i gyrraedd yr ysgol erbyn hanner awr wedi naw. Fel rheol teithiai'r bechgyn ar wahân i'r merched, er bod eithriad i'r rheol o dro i dro!
>
> Wrth ddychwelyd gyda'r nos o Fachynlleth, nid ar draen y Dinas yr awn ond ar y traen 'mawr' a âi i'r Trallwng, a blin oedd gorfod disgyn yng ngorsaf Cemais Road canys gwyddwn y gallwn gael fy nghario'n gysurus i Lanbryn-mair. Ond rhaid oedd disgyn i gael fy meisicl a stryffaglio'r holl ffordd . . .

Gellir dweud bod y pentref wedi dechrau newid i'w ffurf bresennol yn nechrau'r saithdegau pan gaewyd ysgolion yn y pedwar pentref cyfagos – Cemaes, Comins Coch, Darowen (ysgol yr Eglwys yng Nghymru) a Llanwrin – a chodi ysgol ardal helaeth a chanolfan gymdeithasol ar gyrion y pentref. Dirywiodd dylanwad y rheilffordd, a chyn bo hir ailfabwysiadodd y pentref ei hen enw ac

enw'r ganolfan newydd: trodd Cemmaes Road yr hen arwyddion yn Glantwymyn.

Cemaes

Yma, gwelir yr afon yn dolennu drwy ddolydd Cemaes. Daw'r enw, gyda llaw, o'r hen air Gwyddelig *cammas*, sy'n golygu tro mewn afon, ac yn ôl Syr Ifor Williams:

> Gellir Cemais yn Gymraeg fel lluosog *camas* . . . Y duedd yw troi pob un ohonynt yn *Cemaes* er mwyn cael rhyw fath o ystyr i'r enw dieithr hwn trwy ei newid i gynnwys *maes*.

Wrth edrych i'r chwith o'r briffordd gellir gweld hen blasty Cemaes Bychan a'i do pigfain sy'n dyddio'n ôl i 1632 pan gafodd ei adeiladu gan Lewis Anwyl, y Parc, Llanfrothen. Mae paneli pren yr adeilad gwreiddiol i'w gweld o hyd. Byddai beirdd y cyfnod yn galw yng Nghemaes Bychan hefyd, ac mae un ohonynt, Huw Machno, yn clodfori Lewis a'i wraig Elisabeth:

> Ewch a moliant uwch miliwn
> At ŵr a'ch câr, hawddgar hwn,
> I dŷ aer sad yr oes hon
> Lewis Anwyl sy union.

Erbyn heddiw mae disgrifiadau o feirdd yn galw a chanu cywyddau i uchelwyr Bro Ddyfi yn swnio fel byd soffistigedig hollol estronol. Bryd hynny, roedd y bobl gyffredin yn byw yn y pentref ei hun, ergyd carreg o ran pellter ond yn llawer pellach o ran eu statws cymdeithasol. Erbyn y bedwaredd ganrif ar bymtheg nid beirdd Cymraeg, ond teithiwr o Sais, a roddodd gameo o bortread doniol o'r werin uniaith honno.

Pan gyrhaeddodd George Borrow y pentref yn 1855 aeth i'r dafarn i dorri'i syched. Eisteddodd i yfed ei ddiod a disgynnodd tawelwch llethol ymysg y brodorion a oedd yng nghwmni'r dieithryn. Wnaeth yntau ddim helpu'r sefyllfa drwy ysgrifennu nodiadau manwl am y lle a'r saith *'large men'* a eisteddai wrth ymyl y tân ardderchog. Ar ôl gadael y dafarn a cherdded hanner canllath i lawr y ffordd, trodd i edrych nôl:

and beheld, as I knew I should, the whole company at the door staring after me . . . Suddenly I was inspired by a thought . . . pulling my note-book out of my pocket, and seizing my pencil, I fell to dotting vigourously. This was too much for them. As if struck by a panic, my quondam friends turned round and bolted into the house.

O Gwmlline i Fallwyd

Er ei bod hi'n hawdd gwibio drwy 'y Cwm' fel y gelwir y lle yn lleol, mae iddo le anrhydeddus yn hanes diwylliant a barddoniaeth. Yn ystod chwedegau a saithdegau'r ugeinfed ganrif roedd Aelwyd yr Urdd Cwmlline yn enwog drwy Gymru o dan arweinyddiaeth Islwyn a Gweneira Lewis. Yn ystod yr un cyfnod cynhaliwyd dosbarth WEA enwog y Parch. Euros Bowen yn y pentref. Bu'r dosbarth hwn yn feithrinfa i nythaid o feirdd lleol. Cynnyrch y dosbarth yw Dafydd Wyn Jones, bardd y talyrnau a'r ymrysonau.

Er bod Mallwyd rai llathenni dros y ffin ym Meirionnydd, cysylltir yr eglwys â sant Tydecho — fel eglwysi Cemaes, Llanymawddwy a Garthbeibo. Tyfodd amryw o chwedlau ynghylch Tydecho,

fel honno amdano'n porthi'r tlodion drwy droi dŵr un o ragnentydd afon Dyfi yn llaeth, a hyd heddiw gelwir honno yn Llaethnant.

Ceir llawer mwy o sail hanesyddol i gampau ysgolheigaidd rheithor enwocaf Mallwyd, Dr John Davies (1567-1644). Chwaraeodd ran bwysig yn y gwaith o ddiwygio iaith y Beibl ar gyfer argraffiad newydd 1620. Sgolor y Dadeni Dysg oedd Dr John Davies, a chyhoeddodd ramadeg Cymraeg yn Lladin yn ogystal â geiriaduron Cymraeg-Lladin a Lladin-Cymraeg. Copïai lawysgrifau a geirfa'r beirdd hefyd, a bu ei waith yn sail i ddatblygu'r Gymraeg yn iaith a fyddai'n addas i drafod pob pwnc. Bu'n rheithor ym Mallwyd rhwng 1604 a 1617.

Is-Hafren a'r Cyffiniau

Wrth deithio o gyfeiriad yr Amwythig mae'r sawl sy'n gyfarwydd â hanes yr hen Bowys yn ymwybodol iawn ein bod yn cyrraedd Cymru ymhell cyn dod at yr arwydd sy'n dynodi ein bod yn croesi'r ffin. Mae tref Amwythig ei hun a phentref Ford ar gyrion y dref yn ein hatgoffa'n syth o sagâu yr hen bennaeth Llywarch Hen a'r dywysoges Heledd.

Amwythig – Pengwern?
Syr Ifor Williams a agorodd y drafodaeth am Llywarch Hen a Heledd. Y gred gyffredinol ydi bod bardd neu feirdd sy'n anhysbys i ni bellach wedi cyfansoddi englynion yn ystod y nawfed ganrif am gymeriadau a oedd yn byw yn ystod y chweched ganrif. Yn y gerdd *Stafell Cynddylan* mae Heledd yn hiraethu am ei brawd Cynddylan, a'r modd y cafodd ei lys ei ddifa gan y gelyn:

> Stafell Cynddylan ys tywyll heno
> Heb dan, heb wely,
> Wylaf wers, tawaf wedy(n).

Ac yn yr englynion ingol am *Eryr Pengwern* mae'n disgrifio'r aderyn 'pengarn llwyd' yn gwledda ar gyrff ei brawd a'i chydnabod. Yn ôl rhai beirniaid mae safle Pengwern yn cyfateb i safle yr Amwythig heddiw; yn ôl eraill mae cyfeiriad at le o'r enw Din Gwrygon yn yr englynion yn awgrymu mai Wrekin heddiw ydi'r safle tebycaf.

O'r Abaty i'r ffin
Mae rhamant *Breuddwyd Rhonabwy* yn perthyn i Bowys a'r rhan hon o Faldwyn. Cyflwr truenus y rhanbarth yw ei thema. Anfonwyd Rhonabwy a dau gydymaith i chwilio am Iorwerth ap Maredudd a oedd wedi mynd i Loegr i losgi a lladd. Un noson, bu raid iddynt gysgu mewn llys dychrynllyd ei gyflwr – a oedd yn hollol wahanol i'r disgrifiadau o lysoedd crand arferol a geir mewn chwedlau – ac yno y cafodd Rhonabwy ei freuddwyd liwgar.

Mae'n cychwyn gyda disgrifiad ohonynt yn cerdded ar draws Maes Arungrog, ger Rhyd-y-groes, lle mae pont Buttington heddiw. Roedd march yn eu dilyn, ac wrth i hwnnw dynnu'i anadl i mewn roedd yn eu tynnu hwythau tuag ato, ond fel y gollyngai'i anadl fe'i gwthiai ymhellach oddi wrthynt! Wedi hynny, maent yn cyfarfod â chymeriadau fel Arthur ac Owain ab Urien, a cheir sôn am y rheiny'n chwarae gwyddbwyll heb gymryd sylw o negeseuwyr a ddywedai wrthynt fod popeth yn mynd o chwith ar faes y frwydr yn erbyn Osla'r gelyn. Er enghraifft, roedd y brain a ffurfiai fyddin Owain yn ymosod ar fyddin Arthur! Nid cyn i Owain orchymyn iddynt ostwng y faner ar faes y frwydr y daw heddwch a chymod. 'A phan ddeffroes (Rhonabwy) yr oedd ar groen dyniawed melyn, wedi cysgu ohono dair nos a thri diwrnod.' Cytuna'r rhan fwyaf o ysgolheigion ei bod hi wedi'i hysgrifennu cyn canol y drydedd ganrif ar ddeg – tua 1220 yn ôl Dr Enid Roberts, ac mae hithau o'r farn fod cysylltiad rhyngddi ag abaty Ystrad Marchell gerllaw ac mai gŵr eglwysig a'i hysgrifennodd hi.

Abaty Sistersaidd oedd Ystrad Marchell, ac fe'i sefydlwyd gan fynachod o Hendy-gwyn ar Daf ar wahoddiad Owain Cyfeiliog. Treuliodd

Owain ei henaint a marw yno yn 1197. Ymwelydd arall ag Ystrad Marchell oedd y bardd Guto'r Glyn a gyfansoddodd ei farwnad i Lywelyn ab y Moel o Lanwnog; cywydd sy'n cychwyn â'r geiriau enwog:

Mae arch yn Ystrad Marchell,
Ym mynwent cwfent a'u cell . . .

Roedd Gwenwynwyn, mab Owain, yn gefnogwr mawr i'r mynachod hefyd, a thrwy siarteri cyflwynodd diroedd iddynt mewn sawl ardal yn ucheldir Maldwyn, gydag amryw ohonynt yn ymestyn o Dalerddig i Gae'r mynach yn ardal Llwydiarth am fod y mynachod yn ffermwyr defaid ardderchog. Serch hynny, mynachlog dlawd oedd hi mewn gwirionedd, ac yn dilyn sawl argyfwng ar ôl cwymp Llywelyn yn 1282, cafodd ei diddymu gan Harri'r VIII yn 1536. Ar wahân i gofeb a godwyd ar fin y briffordd, does dim yn weladwy o'r fynachlog ar lannau Hafren bellach er bod darnau ohoni ar hyd yr ardal – teils a cherrig yn Amgueddfa Powysland yn y Trallwng a darnau eraill yn eglwysi Llanfair Caereinion a Buttington.

Ceir nifer o bentrefi ar hyd y briffordd sy'n mynd i gyfeiriad Croesoswallt. Y pentref cyntaf yw Pool Quay, a chyn dyddiau'r gamlas roedd cychod yn gallu teithio i fyny'r afon er mwyn cludo haearn o Fathrafal a phlwm o weithfeydd Llangynog a doddid yno cyn iddo gael ei gludo drwy'r Amwythig cyn belled â Chaerloyw a Bryste. Mae'r ddau bentref nesaf wedi'u henwi ar ôl planhigion sy'n eithaf dieithr ar lawer cyfrif. Ar fin y ffordd mae pentref Arddlîn – *flax* ydi llin, ac ychydig filltiroedd oddi yno, mae Cegidfa

(Guilsfield yn Saesneg). *Hemlock* ydi cegid a'r man lle tyfai ydi'r ystyr amlwg. Ar gownt ei safle dymunol a chyfleus tyfodd Cegidfa'n gyflym iawn yn ystod yr ugeinfed ganrif. Mae tu fewn yr eglwys gyda'r harddaf a'r mwyaf canoloesol yn y sir. Aelhaearn ydi'r sant a gysylltir â hi, ac roedd yn frawd i Lwchaearn a sefydlodd eglwysi yn Llamyrewig a Llanllwchaearn.

Hanner ffordd rhwng y Trallwng a Chroesoswallt mae pentref Llandysilio neu Four Crosses. Ceir amryw o chwedlau ynghylch tarddiad yr enw Saesneg; un o'r rhain yw fod ffyrdd Rhufeinig yn croesi a chlip ar yr haul yn bwrw pedwar cysgod pan fu farw Tysilio, nawddsant y pentref. Ef oedd nawddsant Llandysil sydd ymhellach i fyny'r dyffryn yn ogystal. Defnyddir yr enwau Saesneg a Chymraeg mewn cysylltiad â gwahanol adeiladau a rhannau penodol o'r pentref. Arwydd, efallai, o sgitsoffrenia pentref y mae Clawdd Offa yn ei hollti!

Y Castell Coch a'r Trallwng
Wrth fynd yn ôl i gyfeiriad y Trallwng cyrhaeddwn y 'porth i Ganolbarth Cymru' yn ôl yr arwydd. Saif y Trallwng rhyw bedair milltir o Glawdd Offa, ac yn bensaernïol mae'n fersiwn llai o'r Amwythig. Mae'n gyrchfan i Gymry Cymraeg dyffryn Banw ar ddiwrnodau marchnad, ond ar y cyfan, tref Seisnig ei hagwedd a'i hanes yw hi.

Mae iddi gysylltiadau â'r seintiau cynnar, a chredir bod gan Llywarch, tad Gwyddfarch a fu ym Meifod, gapel ger caer cynharaf y dref, sef Domen Gastell a oedd yng nghyffiniau'r orsaf bresennol. Dywed Dr Enid Roberts: 'Geill mai yno yr oedd Pwll neu Dre'r

Pwll' – lle tarddodd Welshpool neu'r *Pool* Saesneg.

Ond y castell pwysicaf oedd y Castell Coch neu Gastell Powys. Cyflwynwyd ei siarteri yn 1263 gan Gruffydd ap Gwenwynwyn ac yn 1406 gan Edward de Charleton. Dengys hanes Castell Powys effeithiau'r Normaneiddio a fu yn dilyn lladd Llywelyn ap Gruffudd yn 1282 yn glir. Mabwysiadodd Owain, ŵyr Gwenwynwyn, yr enw Normanaidd de la Pole. Edward yr Ail a roddodd Hawys, merch Owen de la Pole – yr olaf o linach dywysogaidd Powys – yn wraig i Siôn Siarltwn gan greu arglwyddiaeth estron a chychwyn y gagendor mawr a fu rhwng y teulu hwn a'r gymdeithas o'i gwmpas. Parhaodd hyn tan y cyfnod pan gafodd y castell ei drosglwyddo i deulu Grey – yn wir tan farwolaeth Edward Grey yn 1552. Fel hyn y crynhodd Dr Enid Roberts yr elyniaeth:

> yr oedd gagendor rhwng Arglwydd Powys a thrigolion yr arglwyddiaeth mewn iaith, mewn diwylliant, a hefyd mewn syniadau gwleidyddol. Hyd y gwyddys y mae canu i deulu'r Castell Coch yn hynod, hynod brin.

Nid oedd llawer o nawdd i'w gael i'r beirdd yn y fan yma felly. Wedi hynny, aeth y castell i ddwylo'r Herbertiaid, a bu William Herbert yn ymladd o blaid y Goron yn y Rhyfel Cartref ond syrthiodd i ddwylo'r Senedd yn 1644. Erbyn heddiw mae'r Castell a'r gerddi'n gyrchfan i filoedd o ymwelwyr o dan nawdd Yr Ymddiriedolaeth Genedlaethol. Fel yr awgryma'i enw, mae'n adeilad trawiadol o dywodfaen coch ac mae'n meddu ar lawer nodwedd arbennig. Mae'n bosib fod y tŵr petryal yn ne-ddwyrain y castell yn perthyn i'r cyfnod pan oedd y Cymry, Owain Cyfeiliog a'i fab Gwenwynwyn, yn teyrnasu. Annelwig yw hanes ei ddechreuadau. Cyn iddo gael ei droi yn blasty roedd y castell gwreiddiol yn nodweddiadol o gestyll a godwyd yn hwyr yn ystod y drydedd ganrif ar ddeg, gydag amddiffynfa allanol o bridd, cysylltfuriau allanol i'r beili gorllewinol, a dau dŵr o gwmpas y porth mewnol.

Catholigion oedd teulu'r Herbertiaid, a nhw fu'n gyfrifol am ddatblygu tu fewn y plas yn dilyn y Rhyfel Cartref. Mae'r ystafell wely a'r grisiau mawreddog yn perthyn i gyfnod yr Adferiad, a gwelir dylanwad Ewropeaidd arnynt. Trwy briodas crëwyd cysylltiad rhwng y Castell Coch â theulu Clive o India, a cheir arddangosfa o'r trysorau a ysbeiliwyd yn ystod y rhyfel hwnnw. Mae ystafelloedd fel y llyfrgell, y parlwr derw a'r galeri hir ysblennydd yn werth eu gweld hefyd. Ac i goroni'r cyfan mae'r gerddi teras yn unigryw ym Mhrydain. Lluniwyd hwy ar ochr y gefnen ble'r adeiladwyd y castell yn bedwar teras trawiadol gyda phob un yn ddau ganllath o hyd.

Cafodd y Castell Coch effaith ar gymeriad y dref a'i thrigolion yn ogystal dros y canrifoedd. Pan aeth y Siartwr enwog Henry Hetherington ar daith drwy Faldwyn yn hwyr yn y 1830au, clywid pobl yn y Trallwng yn datgan y dylid torri'i ben i ffwrdd! Serch hynny, fe gafodd groeso brwd yn y Drenewydd a Llanidloes. Mae'r tabl ar dudalen 39 yn dangos mor Dorïaidd oedd y dref yn y cyfnod hwnnw o'i chymharu â'r

Drenewydd. Yn wir, parhaodd peth gelyniaeth rhwng y ddwy dref tan yn ddiweddar gyda phobl y Drenewydd yn llysenwi trigolion y Trallwng yn *soupies* (am eu bod yn arfer mynd â'u powlenni i gael cawl i'r Plas o bosib) a phobl y Trallwng yn galw trigolion y Drenewydd yn *treacle tarts!*

Mae eglwys y Santes Fair neu Cynfelyn i'w weld ar fryncyn uwchlaw'r dref. Bu'r Esgob Wiliam Morgan yn ficer yma yn ystod 1575-8, ac mae'n debyg fod Owain Glyndŵr wedi gadael ei ôl arni pan ymosododd ar y Trallwng yn 1401 gan nad yw'r tŵr – sy'n dyddio'n ôl i'r drydedd ganrif ar ddeg – a'r gangell a chorff yr eglwys yn asio'n berffaith â'i gilydd. Gyferbyn â'r eglwys gwelir bwthyn du a gwyn Grace Evans, y ferch a helpodd un o arglwyddi Powys i ddianc o Dŵr Llundain, lle'r oedd yn garcharor yn dilyn gwrthryfel 1715.

Ystyr yr enw Trallwng ydi tir gwlyb sy'n llyncu, fel Llynclys dros y ffin ger Croesoswallt, a hyd yn oed ar ôl adeiladu cronfa Clywedog i reoli llif yr afon mae'r enw dal i fod yn un addas pan fydd tywydd glawog. Un o fanteision hyn ar y llaw arall ydi ei fod yn creu un o ddyffrynnoedd mwyaf ffrwythlon y sir a Chymru gyfan.

Bu'r Trallwng yn ganolfan amaethyddol pwysig am ei bod yn cysylltu dyffrynnoedd a mynydd-dir Maldwyn â thiroedd bras sir Amwythig a Henffordd. Does ryfedd fod marchnad y Trallwng wedi cael ei chydnabod am ddegawdau fel y farchnad ddefaid wythnosol mwyaf yn Ewrop. Effeithiodd trafferthion niferus diweddar y diwydiant hwnnw yn waeth ar y Trallwng nag ar yr un dref arall yng Nghymru.

Daeth Rheilffordd y Cambrian i'r dref yn y 1860au, ond llawer difyrrach na dilyn hynt honno ydi dilyn trywydd y rheilffordd gul sy'n cysylltu'r Trallwng â Llanfair Caereinion. Cyn i'r cysylltiad rhwng gorsaf y *Raven* fel y'i gelwir a'r brif orsaf ddod i ben yn 1963, arferai'r lein fynd drwy ganol y dref, ac wrth groesi Stryd yr Eglwys byddai'n rhaid i'r taniwr rybuddio'r drafnidiaeth drwy chwifio'i faner goch! Wedi hynny, byddai'r trên yn diflannu drwy dwnnel o dai cyn cyrraedd gorsaf fach y Saith Seren, hanner milltir o'r brif orsaf. Mae'n rhaid ei bod yn olygfa ryfeddol bryd hynny (gweler y llun ar dudalen 57), ac mae'n siŵr y byddai'n hunllef yng nghanol trafnidiaeth bresennol y dref.

Tu draw i'r afon

Dau bentref sydd yr ochr draw i'r afon o'r Trallwng ond sydd ar ochr Cymru i Glawdd Offa ydi Tre'r Llai a Ffordun. Meindwr broch trawiadol Eglwys y Drindod sy'n tynnu ein sylw at bentref Tre'r Llai o sawl cyfeiriad yn nyffryn Hafren. Saif y pentref gyferbyn â Chastell Powys a than gysgod cefnen Cefn Digoll. Mae'n debyg mai Leighton (tir agored neu ardd lysiau ydi'r ystyron posib yn yr hen Saesneg) oedd yr enw gwreiddiol a gafodd ei Gymreigio yn Nhre'r Llai tua mil o flynyddoedd yn ôl. Adeilad trawiadol arall ydi Neuadd Tre'r Llai a'r gerddi a luniwyd yn 1850-6 ar gyfer John Naylor yr Uchel-Siryf. Datblygwyd cynlluniau uchelgeisiol i ddatblygu tyrbinau dŵr drwy sianelu nentydd yn ogystal â gwaith nwy drwy bibelli er mwyn darparu egni i fferm y stad a'r eglwys. 'Roedd maint goruwchddynol popeth yma yn estronol iawn i sir mor fach' yw barn Richard Haslam yr arbenigwr pensaernïol.

Er bod Ffordun yn enw a gafodd ei Gymreigio o Forden, yr enw Saesneg am ryd yn yr afon yw'r gwreiddyn. Bu caer Rufeinig (SO 208 989) ar ochr ddwyreiniol yr afon o ddiwedd y ganrif gyntaf OC tan y bedwaredd ganrif. Roedd ei lleoliad yn bwysig ar y ffordd a gysylltai Caersws a Wroxeter ac mae'n debyg i'r amddiffynfeydd gael eu hailgodi a'u hail-lunio nifer o weithiau yn ystod y cyfnod hwnnw. Mae'r amddiffynfa o dywerch a chlai yn dal yn weladwy, ond mae archeolegwyr yn amheus bellach os oedd y Rhufeiniaid yn trigo ynddi gydol y cyfnod hwnnw.

Mae ardal ffrwythlon Ffordun yn nodweddiadol o'r fan lle bu mynd a dod dros y canrifoedd ac mae'n anodd heddiw i ni nodi ble'n union roedd y ffin cyn y Deddfau Uno. Tafliad carreg i ffwrdd ar ochr ddwyreiniol Clawdd Offa safai castell Gwyddgrug a ddinistriwyd gan Gruffydd ap Gwenwynwyn yn 1263 a phlasty Hen Nantcriba. Ond yn ôl y Dr Enid Roberts: 'y mae hanes ei drigolion (Nantcriba) yn ddarlun ardderchog o fywyd y Gororau ar hyd y canrifoedd, mewn gwirionedd yn dalp o hanes cymdeithas.'

Filltir i'r de-orllewin o'r pentref mae hen ysbyty Brynhyfryd a adeiladwyd yn 1794-5 fel *House of Industry for the Montgomery and Welshpool Districts*. Roedd digon o le i fil o dlodion yno; dysgid y dynion i ffermio a'r gwragedd i wau, ond yn 1840 am gyfnod dychwelydd y trigolion i'w cartrefi a bu raid iddynt dalu eu rhenti. Mae hanes yr adeilad fel tloty ac ysbyty tan yn ddiweddar wedi'i gofnodi mewn arddangosfa yn amgueddfa Trefaldwyn. Yn ôl y Parch. E. Nicholson bu Brynhyfryd yn 'lleoliad ysblennydd i dristwch'.

Trefaldwyn – ei chestyll a'i Chytundeb

Hen Domen ar gyrion y dref oedd safle'r castell hynaf a gofnodwyd yn y sir. Fe'i codwyd i warchod Rhydwhiman, ac oddi yno gallai Roger de Montomery, iarll Amwythig, reoli'r brif ffordd i ganolbarth Cymru. Ar farwolaeth mab Roger yn 1131, rhoddodd Harri'r Trydydd y castell i Baldwin de Boulders. Fel y nodwyd yn y rhagymadrodd, dyma darddiadau enwau Saesneg a Chymraeg y dref a'r sir. Ar ôl i'r castell newydd gael ei godi yn Nhrefaldwyn parhawyd i ddefnyddio Hen Domen fel allbost iddo tan yn hwyr yn y drydedd ganrif ar ddeg.

Bu lleoliad Trefaldwyn ar ochr bryn uwchlaw dyffryn Hafren yn safle strategol o Oes yr Haearn hyd at yr Oesoedd Canol. Mae safle castell Trefaldwyn – a godwyd yn 1223 gan Harri'r Trydydd – yn drawiadol iawn ar y gefnen greigiog ac yn werth ymweld ag o pe bai ond am y golygfeydd sydd i'w gweld oddi yno. Doedd Cedewain erioed wedi bod yn rhan o Bowys Wenwynwyn, ac roedd y berthynas rhwng y dalaith a rheolwyr Gwynedd, Deheubarth ac arglwyddi'r Gororau yn un ansicr iawn. Er enghraifft, rhoddodd Maredudd ap Rhobert o Gedewain gymorth i Llywelyn Fawr o Wynedd i orfodi Gwenwynwyn allan o Bowys yn 1216. Cyn marwolaeth Owain, mab Maredudd, aildaniwyd gobeithion Gwynedd pan orchfygodd Llywelyn ap Gruffydd arglwyddi Normanaidd a Gruffydd ap Gwenwynwyn mewn brwydr rhwng Aberriw a Threfaldwyn. Dyna'r adeg y cododd Llywelyn ei gastell yn Nolforwyn ac roedd Edward y Cyntaf a Gruffydd yn teimlo eu bod dan fygythiad cyn i gastell Dolforwyn a Chedewain syrthio yn 1277. 1267 oedd dyddiad Cytundeb Trefaldwyn. Yn ystod y cyfnod cythryblus hwnnw pan oedd Llywelyn yn gwasgu o'r gorllewin y ceisiwyd selio'r cytundeb hwn. Wrth ryd yn afon Hafren daeth y cymeriadau canlynol at ei gilydd i actio'r olygfa ryfeddol; Cardinal Ottobuono – ar ran y Pab – Harri'r Trydydd, brenin Lloegr a'i fab rhyfelgar, Edward a Llywelyn ap Gruffydd wrth gwrs – sef Llywelyn ein Llyw Olaf wedi hynny. Am fod Llywelyn wedi bod mor llwyddiannus ym mhob cwr o Gymru galwai ei hun yn Dywysog Cymru. Croesodd yntau'r rhyd, penlinio o flaen y brenin a chodi'i ddwylo er mwyn i'r brenin gydio ynddynt. Drwy wneud hynny roedd Llywelyn wedi cydnabod Harri yn frenin a'r brenin wedi'i gydnabod yntau yn dywysog a fyddai'n derbyn gwrogaeth holl dywysogion Cymru. Gwyddom bellach mai cytundeb digon bregus oedd hwn am sawl rheswm. Go brin y byddai'r Edward ifanc, yr Edward y Cyntaf treisgar wedyn, a oedd yn dyst i'r olygfa – yn parhau i'w gydnabod yn dywysog.

Bu golygfeydd eraill llawer mwy gwaedlyd yng nghyffiniau castell Trefaldwyn. Yn ystod y Rhyfel Cartref roedd y Brenhinwyr yn recriwtio'n gryf ym Maldwyn, a symudodd Syr Thomas Myddleton ar ran y Seneddwyr i'r ardal yn 1644. Dyma fel y bu. Ar ôl gorchfygu y Trallwng a'r Drenewydd, ildiodd yr Arglwydd Herbert y castell ar y chweched o Fedi, ond ar unwaith, fe

ymosododd Brenhinwyr o Amwythig a Chaer ar Drefaldwyn i'w hadfeddiannu. Serch hynny, erbyn y deunawfed o Fedi enillodd y Seneddwyr frwydr fwyaf y Rhyfel yng Nghymru ar y gwastadeddau islaw'r castell. Ymladdodd dros saith mil o filwyr yn y frwydr honno, a chollodd y Brenhinwyr fil pum cant o'u ymladdwyr hwy yn y gyflafan. Dyna pryd y meddiannodd y Seneddwyr rannau uchaf dyffryn Hafren am weddill y rhyfel. Drwy ddarllen y disgrifiad o'r frwydr ar blac ar safle'r castell – a chyda holl faes yr hen frwydr yn weladwy oddi tano – mae'n bosib i'r ymwelydd cyfoes ail-fyw'r cyfan yn ei ddychymyg.

Y dref
Tref a gollodd ei safle ydi Trefaldwyn; hi oedd prif dref Maldwyn pan gafodd y sir ei chreu yn 1536, ond cadwodd ei chymeriad a'i nodweddion pensaernïol yn fwy trawiadol na'r un dref arall yn y sir. Derbyniodd ei siarter yn 1227 a chodwyd hi dan gysgod y castell; yn wreiddiol cafodd ei hamgylchynu gan fur a phedwar porth a oedd yn dynodi pedwar cyfeiriad – Cedewain, Arthur (tua'r gogledd), Ceri a Llanffynhonwen neu Chirbury. Mae darnau o'r mur yn weladwy o hyd.

Mae cynllun canoloesol a Seisnig y dref yn amlwg, yn enwedig yr olygfa drawiadol i lawr y Stryd Lydan, y brif stryd, tuag at y neuadd. O bobtu iddi gwelir ffrynt y tai Sioraidd, palmentydd coblog ac yn goron ar y cyfan yn y pen draw mae'r neuadd a gafodd ei hadeiladu yn 1748. Arferai rhan isa'r neuadd fod yn agored ar gyfer cynnal marchnadoedd. Yn wir, tan y Chwyldro Diwydiannol roedd yn dref farchnad lwyddiannus iawn, ond gyda dyfodiad y gamlas, y briffordd a'r rheilffordd drwy ddyffryn Hafren ildiodd ei statws economaidd i drefi'r Trallwng a'r Drenewydd.

Cyfeirir at eglwys Sant Nicholas gyntaf yn 1227 mewn cysylltiad â'r castell, ac adeiladwyd corff yr eglwys yn union yr un adeg â'r castell yn 1223. Un nodwedd ddiddorol amdani yw'r ffaith fod y ddwy sgrîn y grog sydd ynddi yn rhai gwreiddiol ond eu bod wedi'u cyfuno bellach. Mae'r naill yn Gymreig, yn wynebu'r gorllewin ac wedi'i gwneud ar gyfer yr eglwys, tra bo'r llall, yr un Seisnig, yn wynebu'r dwyrain ac wedi dod o'r priordy yn Llanffynhonwen adeg diddymu'r mynachlogydd. Mae'r fynwent ar godiad tir ac ni ellir cyfeirio ati heb adrodd stori bedd y lleidr – *The Robber's Grave* – fel yr adnabyddir hi'n lleol. Cafodd John Davies ei grogi yn 1821 am ddwyn defaid. Yn yr achos llys mynnodd nad oedd yn euog o'r drosedd, ac fel prawf o hynny honnodd na fyddai glaswellt yn tyfu ar ei fedd am ganrif gyfan. Yn ôl yr hanes a choel gwlad daeth ei broffwydoliaeth yn wir!

Er bod Trefaldwyn filltir o Glawdd Offa mae'n bosib mynd o'r dref i gyfeiriad pentref yr Ystog (Churchstoke) a chroesi i Loegr – ac yn ôl i Gymru eilwaith – cyn cyrraedd y pentref gwasgaredig hwnnw. Erbyn heddiw mae'r Ystog yn enwog am farchnad Harry Tuffins ac mae'n werth mynd yno ar y Sul, nid yn unig i gael bargen ond i glywed acenion Saesneg unigryw'r boblogaeth sy'n byw o bobtu Clawdd Offa – pobl y ffin. I'r dwyrain o'r Ystog mae castell a adeiladwyd gan Symon de Parco ar orchymyn Harri'r

Trydydd fel castell i atgyfnerthu castell Trefaldwyn, a chredir mai yng nghyfnod adeiladu'r castell hwnnw yn unig y cafodd ei ddefnyddio. *Symon's Castle* yw ei enw.

Dilyn y gamlas i Garthmyl

Wrth ddychwelyd o'r cyrion i ganol y dyffryn, mae'n bosib teithio i fyny dyffryn Hafren o'r Trallwng i'r Drenewydd ar hyd y ffordd ac ar hyd y rheilffordd. Mae modd cerdded hefyd, neu hyd oed deithio ar gwch ar rannau o'r daith. 'Llwybr Hafren' neu'r *Severn Way* yw'r enw ar yr hen lwybr tynnu sy'n cydredeg â'r gamlas, ac mae'n ein hatgoffa o gyfnod mwy hamddenol, cyn dyfodiad y ffordd dyrpeg a'r ffordd haearn.

Pan adeiladwyd y darn hwn o'r gamlas yn 1795 roedd yn ddull effeithiol iawn o gludo nwyddau a phobl. Roedd hi'n bosib i un ceffyl dynnu tunelli lawer ar ddŵr, ond byddai angen llawer rhagor ohonynt i dynnu'r fath lwyth dros ffyrdd garw'r cyfnod. Hwn oedd adeg y chwyldro diwydiannol a gafodd effaith fawr ar ddulliau amaethu. Gan fod tir dyffryn a blaenau afon Hafren yn sur ac yn asidig roedd angen offer fel erydr i'w drin, a chalch i'w ffrwythloni – a dyma oedd y cynnyrch yr arferid ei gludo ar y gamlas.

Ar y chwith wrth deithio tua phentref Garthmyl mae plasty Glansevern – enw sy'n enghraifft o'r cymysgu ieithoedd sy'n digwydd mor aml yn y rhan hon o Faldwyn. Adeiladwyd y plasty yn y dull ffug-Roegaidd ar gyfer Syr Arthur Davies rhwng 1801-7. Gyferbyn â'r fynedfa iddo mae clwstwr o dai sy'n cael eu galw'n lleol yn 'The Revel' – o'r Gymraeg Yr Efail Fach. Garthmyl yw'r lle gorau i aros rhwng y Trallwng a'r Drenewydd; roedd y dafarn yno yn arosfan i'r goets fawr newid ceffylau cyn dyfodiad y gamlas yn 1795, a dyma lle cyrhaeddodd *'The Montgomeryshire Canal'* yn yr un flwyddyn. Roedd yn lle prysur yn sgîl dyfodiad y gamlas; yn ogystal â thai a stablau roedd yno hanner dwsin o odynau calch, sawl warws a glanfeydd i'r cychod. Fe gymerodd hi chwarter canrif arall cyn i'r gamlas gael ei chloddio i gyfeiriad y Drenewydd yn 1821.

Pam a phwy fu'n gyfrifol am wneud hynny? Rhwng 1790 a 1822 fe gynyddodd nifer y ffatrïoedd gwlân yn y Drenewydd o un i 50 a'r boblogaeth o 1,665 i 4,493 gan ei gwneud yn 'dre newydd' go iawn. Roedd llawer o gymeriadau lliwgar yn ymwneud â'r diwydiant, ac fe sonnir amdanynt maes o law, ond dyma'r lle i gychwyn cyfeirio at William Pugh, Brynllywarch ger pentref Ceri. Oni bai amdano ef ni fyddai'r gamlas wedi mynd yn bellach na Garthmyl. Derbyniodd ei addysg yng Ngholeg y Drindod, Caergrawnt ac roedd yn berchennog ar oddeutu 3,500 o aceri a oedd yn ymestyn at ganol Sir Faesyfed. Mae'n amheus os buddsoddodd Pugh £52,700 yn y gwaith o adeiladu'r gamlas rhwng Garthmyl a'r Drenewydd fel y dywedodd un sylwebydd – ond ceir gwirionedd yn yr honiad ei fod yn 'bopeth i'r fenter'.

Aber-miwl, Llamyrewig, Glan-miwl a Cheri

Un o'r llu o bentrefi a dyfodd ar gyrion y Drenewydd ydi Aber-miwl. Mae hi'n hafan ddymunol gan fod ffordd osgoi yn mynd â cherbydau o'r tu arall heibio, ond mae'n werth ymweld â'r lle a mynd am dro ar hyd y ffordd bedair milltir o hyd sy'n dilyn dyffryn yr afon Miwl tua Glan-miwl sydd ar gyrion Ceri. Mae hon yn enghraifft arall o'r cefnffyrdd y mae priffyrdd cyflym yn ei gwneud hi'n haws i'w hosgoi heb i ni sylweddoli beth rydym yn ei golli. Oddi ar y ffordd hon gellir troi i'r dde i bentref Llanmyrewig, sy'n llygriad o'r enw hyfryd Llamyrewig.

Yng nghyffiniau Glan-miwl mae afonig Meheli, y cyfeirir ati, mae'n debyg, yn y gerdd sy'n dyddio o'r nawfed ganrif: *Eryr Eli:*

Eryr Eli, gorelwi heno,
Y gwaet gwyr gwynn nofi.
Ef y goet; trwm hoet i mi.

Yn yr englynion trist hyn mae Heledd yn nesu at faes y frwydr ac yn clywed yr eryr yn galw ar ôl gwledda ar 'gig' Cynddylan ei brawd, a nofio yn ei waed yntau a'r gwŷr eraill. Wrth droi i'r chwith yng Nglan-miwl fe eir i gyfeiriad pentrefi Sarn, Bachelltre a'r Ystog. Un arall o ffyrdd bach y ffin ydi honno sy'n troi i'r dde ym mhentref Sarn ac yn mynd dros drumiau Ceri i dre Dre'r Esgob (Bishop's Castle), ac ohoni ceir golygfeydd godidog o sir Amwythig a Maldwyn.

Y Personiaid Llengar ac Eisteddfod Powys

Mae'n hawdd dilyn sgwarnogod wrth deithio Maldwyn, felly dychwelwn i bentref Ceri – y lle a roddodd enw barddol i Ifor Ceri (1770-1829) – sef John Jenkins yr offeiriad, y cerddor, yr hynafiaethydd, y noddwr a'r eisteddfodwr. Roedd Ceri hefyd yn fan cyfarfod pwysig i'r Personiaid Llengar ym Maldwyn. Pwy oedd y rhain a beth oedd eu cyfraniad? Gelwid Ifor Ceri yn Ifor Hael o Geri am fod y Rheithordy yno yn gyrchfan i nifer o bersoniaid llengar a weithiai ym Maldwyn – a thu hwnt hefyd. Un o'r rhai amlycaf oedd Gwallter Mechain a oedd yn rheithor Manafon; dau o feibion teulu Richards, Darowen oedd David Richards, Llansilin a Thomas Richards, Aberriw, Dewi Brefi sef David Rowlands, curad Carno a Llanwnog a W.J. Rees, Casgob, sir Faesyfed.

Byddent yn cyfarfod yng Ngheri, yn enwedig adeg y Nadolig a'r Calan i drafod llenyddiaeth a syniadau ynghylch hybu'r diwylliant eisteddfodol. Ym mis Awst 1818 y cynhaliwyd y cyfarfod pwysicaf. Gwahoddwyd Esgob Thomas Burgess, Tyddewi i'r cyfarfod hwnnw. Yn ei sgîl y datblygodd y syniad o gael eisteddfodau taleithiol yng Nghymru a oedd i'w cynnal yng Ngwent, Dyfed, Powys a Gwynedd. Un o'r eisteddfodau mwyaf cofiadwy ym Mhowys oedd honno a gynhaliwyd yn y Trallwng yn 1824 pan enillodd Eben Fardd, Ebenezer Thomas (1802-63) y gadair am ei awdl *Dinistr Jerusalem* ac yntau'n 22 oed. Parhaodd y traddodiad taleithiol ym Mhowys drwy'r ugeinfed ganrif, ac mae'n dal yn fyw. Un o'r rhesymau pennaf am hynny oedd y ffaith i Gymrodoriaeth Eisteddfod Powys gael ei ffurfio yn 1913, ond ni lwyddodd yr eisteddfodau taleithiol hyn i oroesi yn y taleithiau eraill. Fel y dywed y *Cydymaith i Lenyddiaeth Cymru*: 'Hwy, mewn gwirionedd, a newidiodd yr eisteddfod o fod yn gyfarfod beirdd i fod yn ŵyl genedlaethol.'

Ni ellir dychwelyd i Aber-miwl heb gyfeirio at y rheilffordd. Yn anffodus cafodd y lle ei anfarwoli gan un o'r damweiniau trên gwaethaf a mwyaf enwog yng Nghymru. Ar 26 Ionawr, 1921 trawodd dau drên a oedd yn cludo teithwyr benben i'w gilydd ger tŷ Maeshafren, filltir o'r pentref i gyfeiriad y Drenewydd. Lladdwyd y ddau yrrwr ynghyd â thri ar ddeg o deithwyr. Yn eu plith roedd yr Arglwydd Herbert Vane-Tempest, Plas Machynlleth a oedd hefyd yn Archwiliwr Cyfrifon Cwmni Rheilffordd y Cambrian.

Cafodd y ddamwain honno effaith ar ddulliau o redeg rheilffyrdd ym Mhrydain.

Castell Dolforwyn

Yn ddiweddar agorwyd y castell nodedig hwn i'r cyhoedd ac mae'n werth ymweld â'r safle sydd yn y bryniau gyferbyn â phentref Aber-miwl. Safle'r hen gastell Cymreig hwn, a oedd yn lle gwych i reoli dyffryn Hafren, ydi'r lle i ddod i ddeall dechreuadau hanes y Drenewydd ac ymgais Llywelyn ap Gruffydd i gadarnhau ei afael ar Gedewain a gwrthwynebu castell brenin Lloegr yn Nhrefaldwyn. Felly, mae castell Llywelyn yn cynnig rhagor na golygfeydd gwych i ni Gymru ymfalchïo ynddynt. Byr fu ei hanes gwaetha'r modd. Ar adeg ei adeiladu rhwng 1273 a 1277 mae'n debyg bod Henry de Lacey a Roger Mortimer wedi ymosod arno rhwng y 31 Mawrth a 8 Ebrill, 1277 a'i orchfygu cyn i'r gwaith o'i godi gwblhau!

Mae rhestr o ystafelloedd y castell a'u cynnwys a wnaed gan luoedd y brenin yn y 1320au yn rhoi darlun go fanwl o'r lle i ni. Roedd yno dŵr crwn i gadw arfwisgoedd, tŵr sgwâr, capel, siambr i foneddiges gyda baddon ynddi, pantri, bwtri, lle macsu cwrw ac yn y blaen. Erbyn 1398 disgrifiwyd y castell fel lle a oedd wedi dadfeilio. Pan godwyd ef gyntaf mae'n debyg fod marchnad wedi'i sefydlu ar y safle. Ar ôl yr ymosodiad, symudodd Mortimer y farchnad hon i safle'r dref bresennol yn 1279, ac yno y cafodd yr hawl i'w sefydlu gan Edward y Cyntaf y flwyddyn honno.

Rhannau Uchaf Dyffryn Hafren

Llanfair-yng-Nghedewain/ Y Drenewydd

Dyma'r enw hyfryd a gysylltir gyntaf â'r Drenewydd. Roedd y tir gwastad y tu mewn i dro mawr yn afon Hafren yn safle delfrydol ar gyfer sefydlu tref. Gyda'r afon yn cynnig amddiffyniad naturiol ar un ochr, roedd castell mwnt a beili yn gwarchod y dref ar yr ochr ddwyreiniol. Gwelir olion y mwnt o hyd ar y tir lle bu Neuadd y Drenewydd, sydd gyferbyn â swyddfeydd Tŷ Ladywell presennol, ac mae'n debyg fod y beili yn ymestyn yr holl ffordd i lawr at yr afon ar un adeg.

Ymddengys yr enw Llanfair yng Nghedewain mewn dogfennau yn achlysurol hyd at yr unfed ganrif ar bymtheg. Sonnir am gapel Llanfair gyntaf yn 1253 ac fe dyfodd i fod yn ganolbwynt y dref gynnar. Erbyn 1291 roedd Llanfair yng Nghedewain wedi tyfu i fod yn annibynnol o'r Fam Eglwys yn Llanllwchaearn filltir neu ddwy i lawr yr afon. Mae'n werth talu ymweliad ag adfeilion yr hen addolfan – a bedd y sosialydd Robert Owen sydd y tu ôl i safle gwesty'r *Elephant and Castle*. Codwyd eglwys newydd Dewi Sant a welir ar ochr y briffordd ger y prif oleuadau traffig yn 1847.

Does dim cyfeiriad at y Drenewydd tan tua chanol y bymthegfed ganrif; cyfeiriodd Iolo Goch at y lle pan oedd ar daith farddol yn y cyffiniau:

Tra cherddais mofynnais fawl
Drwy Geri gwlad ragorawl
A'r Drefnewydd lifwydd lefn
Bwrdeistref baradwysdrefn.

Bwrdeistref bellach. Ac mae'r strydoedd llydain – Broad Street yw enw'r brif stryd – yn dal i roi stamp Normanaidd cyfnod ei ffurfio ar yr hen dref. Ond mewn gwirionedd doedd y bwrdeistref hwn fawr mwy na phentref yn ôl ein safonau ni heddiw.

Pan adawodd Robert Owen ei dref enedigol yn y 1780au disgrifiodd hi fel *'a very small market town . . . a neat beautifully situated town with the ordinary trades, but no manufacturers except a few flannel looms'*.

Y cyfeiriad diwethaf at y diwydiant gwlân yw'r allwedd i dyfiant y 'dre newydd' fodern. Rhwng 1771 – cyfnod geni'r hen sosialydd – a 1901 tyfodd y dref yn aruthrol; cynyddodd nifer y tai o 168 i 846 a'r boblogaeth o 800 i 4,800.

Robert Owen (1771-1858)

Ar brif sgwâr y dref gellir gweld plac ar wal adeilad ger banc yr HSBC yn nodi man geni'r mab i gyfrwywr a gwerthwr nwyddau haearn. Gyferbyn â'r adeilad ceir amgueddfa fechan i gofnodi gyrfa hynod Robert Owen. Ar wahân i'r amgueddfa a'r cerflun ohono sydd yn yr ardd goffa ger stryd y Banc does fawr o dystiolaeth i hanes gŵr a oedd ymhell o flaen oes a gychwynnodd ac a ddaeth i'w therfyn, yn y Drenewydd. Proffwyd na chafodd glod yn ei wlad ei hun yw Robert Owen.

Gadawodd y dref, a derbyniodd brentisiaeth fel dilledydd yn Stamford, swydd Lincoln a Llundain, ac yn 1788 aeth i weithio i Fanceinion i geisio gwneud ei ffortiwn fel gwneuthurwr peiriannau a nyddwr. Dim ond ugain oed oedd Robert Owen pan gafodd ei apwyntio yn rheolwr ar felin nyddu a gyflogai bum cant o weithwyr. Yn bedair ar hugain oed roedd yn bartner rheoli yng Nghwmni Chorlton Twist, ac yn 1799 symudodd y cwmni i New Lanark yn yr Alban, lle cyflawnodd waith mawr ei fywyd. Ceir canolfan ddehongli deilwng i waith ei fywyd yno.

Cyflogwr pobl oedd Owen, nid cyflogwr gweithwyr yn unig – dyna pam y rhoddai bwys mawr ar addysgu plant y gweithwyr a pham y dadleuodd dros gyfundrefn addysg genedlaethol. Brwydrai dros gwtogi oriau gwaith a sefydlu cymunedau cydweithredol. Roedd o blaid sefydlu ysgolion ar gyfer plant y gweithwyr a chael cyfundrefn addysg genedlaethol ac undebau llafur ar gyfer gweithwyr ymhell cyn i'r rheiny gael eu gwireddu.

Doedd y diwygiwr cymdeithasol ddim mor llwyddiannus yn gwasgaru ei neges a'i syniadau y tu allan i Lanark Newydd. Gwariodd Robert Owen ddeugain mil ar gynllun pedair blynedd yn New Harmony, Indiana rhwng 1824 a 1828, ond methiant fu'r fenter yn y pen draw. Nid oedd yn boblogaidd ymhlith radicaliaid am ei fod, yn eu barn hwy wedi ceisio 'rheoli' gweithwyr.

Bu Robert Owen yn llawer mwy llwyddiannus fel gŵr ymarferol, gweithredol nag fel pamffledwr ac nid yw hynny'n syndod oherwydd dyna oedd ei gefndir. Chafodd o fawr o addysg. Erbyn heddiw mae ei syniadau'n llawer mwy derbyniol ac mae beirniaid yn gwerthfawrogi o'r newydd ei gyfraniad mawr wrth drin gweithwyr fel pobl resymol, dim ond iddynt gael y cyfle i fyw mewn amgylchiadau teilwng a'u trin yn deg.

Yn 1813 cyhoeddodd Robert Owen athrawiaeth 'rhesymoliad' yn y gyfrol *A New View of Society or Essays on the Formation of Human Character* a chyflwynodd hi i William Wilberforce. Yn y llyfr roedd yn ateb beirniaid ei syniadau am bentrefi cydweithredol. Cyfrol arall bwysig oedd ei hunangofiant, *The Life of Robert Owen by Himself* a gwblhaodd yn 1857 ar ôl dychwelyd i'r Drenewydd. Mae'n ddiddorol am ei bod yn olrhain hanes llawer o fudiadau'r dosbarth gweithiol yn ystod y degawdau blaenorol.

A ddylanwadodd y Drenewydd a Maldwyn arno? Does dim amheuaeth o hynny. Roedd y diwydiant gwlân yn bwysig fel diwydiant yn y cartref pan adawodd y sir, a diau fod a wnelo hynny â'i benderfyniad i weithio fel dilledydd, nyddwr a pherchennog melinau gwlân yn ddiweddarach. A'i syniadau? Mae'n sicr bod y bywyd naturiol, cydweithredol a brofodd yn y dref wedi llywio holl ethos ei fywyd a'i arwain yn y pen draw i sefydlu ei bentrefi cydweithredol. Doedd chwyldro na phlaid ddim yn rhan o neges Robert Owen; yn hynny o beth roedd yn dipyn o ddelfrydwr, a byddai llawer yn dadlau bod hynny'n tystio bod mwynder ei sir enedigol yn rhedeg drwy'i wythiennau.

'The Leeds of Wales'

Er mwyn gweld olion yr hen ddiwydiant gwlân yn y Drenewydd mae'n werth croesi'r bont a throi i gyfeiriad Commercial Street Mae'r adeiladau tal yn y cyffiniau yn dyst i'r nifer o ffatrïoedd bach a godwyd yno. O'r adeiladau trillawr hyn y câi'r wlanen ei hongian i sychu ac yn y rhain yr achubai'r perchnogion fantais ar y gweithwyr druain. Yng nghornel isa'r adeilad roedd gwraig y perchennog yn cadw'i siop – a elwid yn *tommy shop*. Roedd disgwyl i'r gweithwyr brynu eu nwyddau yn y siop hon. Os na wnaent hynny, ni chaent waith. Wrth gwrs, roedd y nwyddau'n ddrutach yma nag yn y siopau eraill. Pasiwyd deddf y *Truck Act* i atal hyn, ond mae tystiolaeth ei bod yn cael ei thorri yn y Drenewydd. Dyma ddyfyniad o ganol y ganrif yn dangos sut roedd hyn yn digwydd:

> *the masters take care not to pay their men until the market has been closed, thus virtually compelling them to take the whole of the articles consumed at their price. I have often seen men sneaking to other places to buy, the same as they were going to steal.*

Roedd llawer o gymeriadau lliwgar ynghlwm wrth hanes y diwydiant. Roedd y Parch. E.G. Evors yn byw yn Newtown Hall, ac yn Ynad Heddwch yn ogystal â bod yn berchennog ar nifer o ffatrïoedd a thai, a gwnaeth ei ffortiwn ar gorn y diwydiant. Arferai godi rhenti uchel ar gynhyrchwyr gwlân eraill yn y dref am beiriannau fel y *spinning jenny*. Gorddos o *laudanum* fu achos ei farwolaeth – a hynny dan amgylchiadau amheus yn 1844, ac roedd £8,000 (swm enfawr yr adeg honno) yn ei bocedi ar y pryd! Cymeriad arall oedd William Tilsley, bancwr lleol a pherchennog melinau. Ni fu mor llwyddiannus â William Evors mewn busnes, a bu'n rhaid iddo werthu dwy felin i dalu'i gredydwyr pan fethodd ei fanc yn 1833.

Wrth gyfeirio at y gamlas soniwyd am gyfraniad William Pugh, Brynllywarch. Yn ogystal ag agor y gamlas, fe gyfrannodd yn fawr at ddatblygiad y diwydiant gwlân a'r dref ei hun gan fuddsoddi'n helaeth ynddi. Cyfrannodd arian i godi adeilad hardd y Gyfnewidfa Wlân – safle'r sinema, clwb nos *Crystals* a thafarn yr *Exchange* heddiw. Yr enw hwn – ar ôl y *Flannel Exchange*, yw'r unig gysylltiad â'r gogoniant a fu bellach. Ef fu'n bennaf gyfrifol am agor y ffordd rhwng y Drenewydd a Llandrindod. Prynodd beiriannau gwau, y *power looms* cyntaf yng Nghymru gan fwriadu eu rhoi ar les i gynhyrchwyr y dref. Gwrthododd y gwehyddion llaw ei gynlluniau yn dilyn cyfnod drwg i'r diwydiant. Ond nid oedd ffawd o blaid Pugh; er bod pobl y dref yn fawr eu parch tuag ato, fe gollodd lawer o arian yn ei fentrau, yn enwedig y gamlas am lawer o resymau. Yn y pen draw bu'n rhaid iddo ddianc i Ffrainc rhag ei ddyledwyr ac yno y bu farw. Yn ddi-os, William Pugh, Brynllywarch oedd un o gymwynaswyr penna'r Drenewydd.

Pan gyrhaeddodd y gamlas yn 1821 sefydlwyd gwasanaeth arbennig rhwng y dref a Manceinion. Roedd hi'n bosib cludo gwlanen yno mewn chwe diwrnod am bris o 35 ceiniog y cant yn ogystal ag anfon gwlanen ar gerti ar y ffordd newydd i gyfeiriad Llanfair ym Muallt a de Cymru. Serch hynny, doedd y gamlas ddim yn fendith i gyd. Roedd hi'n bosib mewngludo cynnyrch a gwlanen yn rhatach o ardaloedd yng ngogledd Lloegr lle'r oedd y diwydiant gwlân yn gryfach.

Yn ôl *Topographical Dictionary* 1833 roedd hanner cant o ffatrïoedd yn y dref a'r gymdogaeth. Yn ôl Lewis, awdur y 'geiriadur' hwn, cynhyrchwyd 250 o ddarnau o wlanen yn wythnosol, a phan ystyrir bod un 'darn' yn 160 llathen o hyd mae lle i amau ei fod yn gor-ddweud! Canodd Robin Ddu Eryri (Robert Parry) folawd i'r dref; aeth yntau dros ben llestri hefyd:

Oh what a blissful place!
By Severn's banks so fair . . .
Thy factories lofts, seem smiling
on the sky
Newtown, Newtown is surely
now the name
Britannia whole is joyful of thy
fame . . .

Does dim rhyfedd iddi gael ei bedyddio yn 'Leeds Cymru'. Dim ond un ochr i'r geiniog a geir yn y gân. Soniwyd eisoes am y perchnogion a'u gwragedd – yn ecsbloetio'r gweithwyr. Ochr yn ochr â chyfnodau o lwyddiant, doedd dim gwaith i'r gwehyddion am gyfnodau hir, ac roedd dulliau mwy blaengar o wehyddu mewn ardaloedd fel Rochdale, Sir Gaerhirfryn yn fygythiad parhaus i'r diwydiant ac yn ergyd farwol iddo yn y pen draw. Roedd y gwehyddion yn priodi'n ifanc ac yn marw yn ifanc. Gyda dyfodiad y Ddeddf Ffatrïoedd doedd dim gwaith i'r plant ac roedd y rheiny'n crwydro'r strydoedd am nad oedd eu rhieni'n medru'u haddysgu. Fedrai pethau ddim para fel hynny. Erbyn tua 1836, dechreuodd pethau ymddangos yn llewyrchus yn allanol i'r perchnogion; bu cynnydd yn y farchnad ac roedd digon o wlân rhad ar gael. Agorwyd cangen o'r *Bank of Manchester* yn y dref gan ddenu ugain o gynhyrchwyr newydd, ond yn ôl A.H. Dodd yr hanesydd:

humble operatives who could not
even write their names . . . would
set up as masters – often only to
sink back to their former status in a
year or two.

Felly byrhoedlog fu llwyddiant y ffatrïoedd hyn, ac aeth nifer ohonynt i'r wal cyn i'r perchnogion uchelgeisiol gael cyfle i ddefnyddio'u peiriannau hyd yn oed.

Y Siartwyr

Yn nechrau'r 1830au dechreuwyd llawer o derfysgoedd lleol gan y gwehyddion a'r gweithwyr di-grefft gan fod y cyflogau mor isel. Ailffurfiwyd y *Montgomeryshire Yeomanry* a listiwyd cannoedd o gwnstabliaid arbennig – y *specials* – i ddelio â'r argyfwng. Roedd y masnachwyr lleol yn anfodlon â phethau hefyd; roedd llawer wedi gobeithio y byddai Deddf Ddiwygio 1832, wedi rhoi pleidlais i ragor o bobl. Dengys y tabl canlynol cyn lleied o boblogaeth y bwrdeistrefi a gafodd yr hawl hon yn 1837:

	Cyrnol John Edwards	Panton Corbett (Tori)
Y Drenewydd	308	8
Y Trallwng	3	267
Machynlleth	51	19
Llanidloes	93	8
Llanfyllin	14	30
Trefaldwyn	7	111
Cyfanswm	**472**	**443**

Mae'n dabl diddorol am ei fod yn dangos y rhaniad clir a fodolai yn y sir. Trefi'r diwydiant gwlân a gefnogai Cyrnol Edwards, Plas Machynlleth tra byddai'r Trallwng, Trefaldwyn a Llanfyllin yn cefnogi plaid hen deuluoedd Torïaidd Powys-Wynnstay.

Y cyfuniad hwn o anfodlonrwydd o du'r masnachwyr na chafodd bleidlais, a'r gwehyddion ar gyflogau isel oedd yn gyfrifol am y ffaith fod y Drenewydd yn un o'r trefi cyntaf yng Nghymru i gofleidio mudiad y Siartwyr. Cynhaliodd y mudiad ei gyfarfod cyntaf yn y dref – a'r cyfarfod cyntaf yng Nghymru mwy na thebyg – yn nechrau Hydref 1838. Ymgasglodd a gorymdeithiodd dros bedair mil drwy'r dref o Stryd Ladywell i gynnal y cyfarfod ar gae Bron y Barcer ym Mhenygloddfa. Anerchwyd y dorf yno gan John Frost o Gasnewydd, Hugh Williams (Gelli Goch gynt) o Gaerfyrddin, a Charles Jones o'r Trallwng a ddewiswyd yn gynrychiolydd gogledd Cymru.

Mae hanes y Siartwyr, fel hanes y diwydiant gwlân, yn dangos y berthynas gref â chanoldir Lloegr – ac roedd dwy ochr i geiniog y cysylltiad. Cludid gwlanen allan o'r ardal i'r Amwythig ac fe ddôi syniadau newydd fel Siartiaeth o lefydd fel Birmingham. Beth oedd eu hamcanion? Yn syml, roedden nhw am weld cyflawni chwe phwynt sy'n hollol sylfaenol i'r ddemocratiaeth a gymerir yn ganiataol bellach: pleidlais i bob dyn; pleidlais gyfrinachol; cyflogau i Aelodau Seneddol; bod dim rhaid i AS fod yn berchennog tir; rhannu etholaethau'n gyfartal ac etholiadau blynyddol (yr unig bwynt na chafodd ei wireddu, diolch byth!)

Roedd Thomas Powell, a hanai o'r Drenewydd ond a gadwai siop haearnwerthwr yn y Trallwng yn un arall o arweinwyr y mudiad. Bu'n gweithio yn Llundain am flynyddoedd, ac yno daeth o dan ddylanwad Siartwyr blaenllaw fel Henry Hetherington; mae'n debyg iddo gyfarfod â Robert Owen yno hefyd.

Roedd dwy aden i'r mudiad – yr aden foesol a'r aden filwriaethus. Ystyrir y dynion y cyfeiriwyd atynt fel rhai a oedd yn aelodau o'r 'moesolwyr' (er bod rhai ohonynt wedi'u cyhuddo o argymell defnyddio grym). Un o'r Siartwyr milwriaethus oedd John Ingram, cyn-filwr a gafodd ei gyhuddo o ddrilio aelodau o'r mudiad mewn dau le yng nghyffiniau'r dref: Llanllwchaearn a'r 'Dingle', sydd ar y ffordd sy'n mynd i gyfeiriad pentref Dolfor. Pan oedd yn 34 oed cafodd ei alltudio yn dilyn terfysg Llanidloes, a bu farw yn New South Wales yn 1841. Felly, mae cyfraniad y Drenewydd i ddatblygiad mudiad radical y Siartwyr yn arloesol yng Nghymru. Dyma grud bywyd byr y baban newydd ym Maldwyn; yn anffodus agorwyd ei fedd flwyddyn yn ddiweddarach rai milltiroedd i fyny'r dyffryn yn Llanidloes.

Syr Pryce Pryce-Jones

Pan oedd y diwydiant gwlân ar fin machlud, gwawriodd busnes arall yn y dref. Roedd Pryce Jones (1834-1920) yn un o entrepreneuriaid mawr Maldwyn. Yn 1859 sefydlodd y cwmni archebu drwy'r post cyntaf yn y byd; roedd ganddo chwarter miliwn o gwsmeriaid. Urddwyd ef yn farchog gan y Frenhines Fictoria yn 1887 ac ymhlith ei gwsmeriaid a'i noddwyr roedd y frenhines ei hun ynghyd â Florence Nightingale a'r rhan fwyaf o deuluoedd brenhinol Ewrop. Cafodd ei ethol yn Aelod Seneddol Ceidwadol dros Fwrdeistrefi Maldwyn rhwng 1885 a 1886 ac eto rhwng 1892 a 1895. Yn ystod y 1870au adeiladodd *The Royal Welsh Warehouse*; teitl crand yr adeilad brics coch urddasol sydd gyferbyn â'r orsaf sy'n dal hyd heddiw yn gofgolofn i'w waith arloesol.

Geraint Goodwin (1903-41)

Mae'n debyg mai dyma'r llenor enwocaf a godwyd yn y dref. Bu'n ddyn papur newydd yn Stryd y Fflyd, Llundain cyn iddo ymroi i ysgrifennu'n llawn amser yn ystod y tridegau. Collodd ei dad yn ifanc ac ailbriododd ei fam *Mrs Humphreys the Cheese* fel y gelwid hi yn y dref. Roedd hi'n gymeriad cryf ac efallai mai hynny sy'n gyfrifol am ferched cryfion a'r dynion eiddil sydd i'w cael yn straeon ei mab. Nofel enwocaf Geraint oedd *Heyday in the Blood* (1936); mae'n delio â dyfodiad ffyrdd a phoblogaeth newydd i ardal debyg i'r Drenewydd sydd wedi'i lleoli ar y gororau. Câi ei chyfrif yn un o nofelau Saesneg gorau'r flwyddyn honno. Troswyd hi i'r Gymraeg gan Mair Closs Roberts o dan y teitl *Bwrlwm yn y Gwaed* (1976).

Am fod ei dad yn lled-gefnog, cafodd ei anfon i gael ei addysg uwchradd fel disgybl preswyl yn Ysgol Tywyn ac mae'n debyg i rai athrawon yno ei wneud yn ymwybodol ei fod yn Gymro. Fel yr âi'n hŷn, ac fel y câi clefyd y diciâu afael arno, tynhaodd crafangau'i wlad enedigol yn ei fynwes a dychwelodd o Loegr i fyw i Gorris Uchaf am gyfnod. Yn y diwedd bu farw yn Nhrefaldwyn ar ôl treulio blwyddyn mewn sanatoriwm yn Nhalgarth. Ymhlith ei weithiau eraill mae *Watch for the Morning* – a gyfieithwyd fel *Hyfryd Fore* (1981) – a chasglwyd ei straeon, *The Collected Stories of Geraint Goodwin* (1976) gan Sam Adams a Roland Mathias. Ysgrifennodd Adams gyfrol amdano yn y gyfres *Writers of Wales* (1975).

Datblygu o'r newydd eto

Cwympodd poblogaeth Maldwyn yn gyson rhwng 1871 (pan oedd yn 67,623) a 1971 (43,119), ac oherwydd y diboblogi hwn bu sôn am 'ddatblygu' yng nghyffiniau dyffryn Hafren o'r 1940au ymlaen. Yn 1966, comisiynodd Ysgrifennydd Cymru, James Griffiths, astudiaeth ddadleuol a argymhellai adeiladu tref newydd gyda 70,000 o boblogaeth yng nghyffiniau Caersws! Yn y pen draw bodlonwyd ar gael Corfforaeth Ddatblygu Canolbarth Cymru (1967) i ddyblu poblogaeth y Drenewydd mewn deng mlynedd. Ni lwyddwyd i gyrraedd y nod hwnnw tan y 1990au.

Yn 1977 sefydlwyd Bwrdd Datblygu Cymru Wledig (a elwid gan rai yn Bwrdd Distrywio Cymru Wledig!); canolbwyntiai ar dwf trefi neu ardaloedd allweddol. Yn ystod yr 1980au a'r 1990au daeth cwmnïau fel Laura Ashley i Fochdre a Control Techniques i'r Gro. Gostyngodd diweithdra, ond mae'n bwysig cofio hefyd am yr ochr arall i'r geiniog – y ffatrïoedd lloeren hynny a aeth i'r wal heb gyflawni gobeithion y gweithlu a symudodd i weithio i'r ardal. Felly, yn niwedd yr ugeinfed ganrif, esgorwyd ar dref o'r newydd am y trydydd tro yn ei hanes, gan wireddu ei henw – y Drenewydd.

Mochdre a Dolfor

Cysylltir enw Mochdre â stori Pryderi a Gwydion ym Mhedwaredd Cainc y Mabinogi. Dygodd Gwydion foch oddi wrth Pryderi, arglwydd Dyfed, gan ddianc ar draws Cymru gyda hwy. Yn ôl y chwedl, enwyd llefydd yng Nghymru i nodi'r mannau ble cawsant orffwys ar eu hynt. Mae'n debyg bod Mochdre yn un lle a chantref Mochnant yng ngogledd y sir yn lle arall.

Ta waeth am hynny, yr hyn yr ydym yn gwybod i sicrwydd ydi i Fochdre fod yn bentref o bwys o safbwynt melinau gwlân a melinau ŷd. Lleolwyd y melinau hyn ar yr amryw o nentydd sy'n llifo drwy'r ardal. Y Ffatri Goch oedd un o'r melinau gwlân olaf i weithio yn y sir; caewyd hi yn 1963. Mae lleoliad tafarn y *Dolau* ar fin y ffordd ym mhen draw'r pentref yn enghraifft brin o dafarn gwledig a oroesodd ruthr yr ugeinfed ganrif. Cam yn ôl yw camu dros ei drothwy. Bellach, mae'r rhan fwyaf o drigolion yr ardal yn gweithio yn y Drenewydd gerllaw, ac mae'r gymuned amaethyddol wedi gwahanu.

Pentref arall y mae ei dafarn wedi bod yn bwysig iddo ydi Dolfor sydd ar y ffordd droellog i Landrindod. Cyfeirir ato yn 1590, ac mae'n debyg iddo fod yn orffwysfan o bwys i'r porthmyn. Ar ôl mynd drwy Dolfor roedd ganddynt ddewis o ddwy ffordd i fynd â'u hanifeiliaid i farchnadoedd Lloegr. Gallent droi i'r chwith dros fryniau Ceri a mynd i gyfeiriad Craven Arms neu gario ymlaen i gyfeiriad Llandrindod a bwrw am dde Lloegr. Erbyn heddiw mae cerddwyr mwy hamddenol yn manteisio ar yr ymdeimlad o heddwch a'r llonyddwch sydd i'w gael ar fryniau Ceri ac mae'r pentref yn gychwyn neu'n gyrchfan delfrydol i'r daith drostynt. Ers blynyddoedd maith trefnir taith gerdded ddeugain milltir o hyd ar draws Cymru sy'n cychwyn yn y bore bach o bentref Glandyfi yng Ngheredigion ac yn gorffen yng nghyffiniau Clawdd Offa y tu draw i bentref Ceri cyn nos. Dyw honno – y

Cross Wales fel y gelwir hi – ddim mor hamddenol!

Aberhafesb, Caersws a Llanwnnog

Wrth fynd ar y briffordd drwy Benstrowed – a ddisgrifiwyd unwaith fel y pentref lleiaf yng Nghymru – gallwn edrych draw heibio i'r eglwys dros yr afon i gyfeiriad fferm Ysgafell sydd ar gyrion y Drenewydd. Dyma gartref Henry Williams, y Bedyddiwr a garcharwyd am naw mlynedd i gyd am wrthod ildio i ofynion Côd Clarendon. Yn ystod ei garchariad llosgwyd ei gartref, cam-driniwyd ei wraig a'i blant, a bu farw ei dad yn dilyn ymosodiad arno. Dyna pryd y tyfodd y stori am 'gae'r fendith'. Yn ôl yr hanes, cae oedd hwn na chafodd ei ddifa gan ei ymosodwyr ac a ddygodd gnwd ar ei ganfed y flwyddyn ganlynol gan helpu Richard Williams i dalu ei ddirwyon.

Os edrychwch ymhellach i fyny'r afon i gyfeiriad Aberhafesb yn ystod misoedd y gaeaf, mae'n debygol y gwelwch haid o elyrch y gogledd yn pori ar eu hymweliad blynyddol o'r Arctig. Mae'n debyg mai ymwelwyr eraill o'r gogledd – o'r Alban – dros fil a hanner o flynyddoedd yn ôl, oedd y seintiau Gwynnog, ym mhentref Aberhafesb a Gwrhai a gysylltir â'r eglwys fach ar fin y ffordd ym Mhenstrowed.

Y gaer yng Nghaersws oedd un o brif geyrydd y Rhufeiniaid ym Maldwyn a Chymru gyfan. Ei henw fel caer oedd *Mediomanum*, sef 'y gaer yng nghanol y gwastadedd', ac roedd pum ffordd yn arwain i'r safle; y gyntaf o Ffordun a'r lleill o Garno, Castell Collen, (ardal Llandrindod) o Benygrocbren (Dylife) a'r olaf o gyffiniau Llanfair Caereinion.

Ynddi roedd *principia* sef y pencadlys, *sacellum* sef stafell danddaearol efo grisiau'n mynd i lawr iddi, *horreum* neu storws i gadw ŷd, *praetorium* efo baddon *en suite* – hwnnw oedd cartref penllywydd y safle. Roedd colonâd â tho arno yn ffurfio mur allanol y gaer yn ogystal, ac mae'n debyg bod y Brythoniaid lleol wedi sefydlu gweithdai gerllaw a'u bod yn marchnata â'u concwerwyr. Gadawodd y milwyr y gaer yn derfynol tua 400 OC.

Credir bod baddon mawr y gaer yng nghyffiniau sied nwyddau'r orsaf bresennol a bod safle corfflosgi Rhufeinig yng nghyffiniau pont y pentref. Ar fin y ffordd a arweiniai i'r gorllewin i Benygrocbren cred archeolegwyr eu bod wedi darganfod odynau crochenwaith neu deils a bod safle a ddefnyddid i doddi plwm ym Mhen-y-graig yn Nhrefeglwys. Efallai bod enw presennol y pentref yn un Rhufeinig hefyd. Cynigia Dafydd Llwyd, Mathafarn fod Caer Swyswen o bosib yn tarddu o'r gair Lladin *Sensus*. Yn lleol credir mai brenhines Rufeinig oedd hi.

Mae'r lle yn dal i fod yn bentref mawr, ond yn wreiddiol roedd yn un o saith o fwrdeistrefi Maldwyn. Methodd Caersws â chystadlu â marchnadoedd cyfagos y Drenewydd a Llanidloes, ac am nad oedd eglwys y plwyf yno chwaith (mae honno yn Llanwnog) collodd y lle ei statws. Roedd Llys Maldwyn yn dloty a adeiladwyd yn 1838; roedd yn amhoblogaidd iawn yn llygaid y Siartwyr am ei fod yn gwahanu teuluoedd. Gorymdeithiodd minteioedd o aelodau'r mudiad i Gaersws ar ddydd Nadolig y flwyddyn honno dan ganu'r emyn *God of the Poor* a bygwth dymchwel yr adeilad. Bu'n rhaid galw'r *Montgomeryshire Yeomanry* i'w warchod.

Mae'n werth ymweld ag eglwys y plwyf yn Llanwnog am ddau reswm. Y tu fewn iddi mae sgrîn y grog yn dyddio'n ôl i'r bymthegfed ganrif ac un o'r goreuon yn y sir. Y tu allan, yn y fynwent, mae bedd Ceiriog a'r englyn enwog a luniodd fel beddargraff:

Carodd eiriau cerddorol – carodd feirdd
    Carodd fyw'n naturiol,
    Carodd gerdd yn angerddol,
    Dyma ei lwch, a dim lol.

Ac ar y ffordd allan o Gaersws i gyfeiriad Trefeglwys mae plac ar fur y tŷ lle trigai Ceiriog ar ddiwedd ei oes ac yntau'n rheolwr y lein fach a gysylltai'r Fan â lein y Cambrian. Yn fwy diweddar yn nechrau'r ugeinfed ganrif canodd R. Williams Parry ei delyneg i'r meddyg lleol y Dr Edward Rees. Mae'n disgrifio'r profiad o ymweld â'i fedd yn y fynwent ar ôl methu â chael ateb yn ei gartref. Mae'n ei chloi â'r cwpled:

Ac er mai curo'n ofer fu
Yr oedd y doctor yn ei dŷ.

Y gaer gyfoes a'r hen gastell

Caer bresennol bwysicaf Caersws yw cae pêl-droed y pentref. Sefydlwyd clwb yma yn 1886 a bu'r tîm pentref hwn, sydd â naw o gogiau lleol yn chwarae yn ei dîm cyntaf ar hyn o bryd, yn aelod o Gynghrair Cymru o'r cychwyn. Yn fferm Llwyn-y-brain y magwyd Phil Woosnam a chwaraeodd dros Aston Villa a Chymru, ac mae traddodiad y bêl gron yn gryf iawn yn y pentref fel ym Maldwyn gyfan. Ceir pedwar tîm (Caersws, y Drenewydd, TNS – Llansantffraid a'r Trallwng) yn y

Cynghrair Cenedlaethol. Wrth ystyried ei phoblogaeth, tybed ai hi yw'r sir fwya' pêl-droedgar yng Nghymru?

Wrth adael Caersws i gyfeiriad Llanidloes heb fod nepell o'r groesfan roedd cyffordd reilffordd enwog *Moat Lane*. Cyffordd drenau lein y Cambrian a'r lein a arferai fynd i gyfeiriad Llanidloes a de Cymru oedd hi. Fel awgryma'r enw Saesneg, enwyd y gyffordd ar ôl y castell mwnt a beili ar safle'r Rhos Ddiarbed gerllaw. Ceir mynedfa ganolog i wrthgloddiau uchel y beili, ac mae'n debyg iddo gael ei godi gan Roger de Montgomery cyn 1086 i gadw llygad ar Arwystli.

David Davies, Llandinam (1818-1890)

Mae'r cerflun o'r gŵr hwn a gafodd ei alw gan ei gofiannydd diweddaraf, Herbert Williams yn 'frenin y rheilffyrdd a theicŵn y glo' i'w weld ar ochr y briffordd sy'n mynd drwy ei bentref genedigol, ac mae'n ei bortreadu'n astudio cynlluniau dociau newydd y Barri.

Mae Herbert Williams yn rhannu bywyd Dafis Llandinam yn dair rhan. Dechreuodd ei fywyd fel ffarmwr a llifiwr coed o fri, neu *top sawyer*, gan mai ei gorff cydnerth yntau fyddai uwchben y pwll llifio bob amser. Doedd dim ofn gwaith corfforol arno ac mae'n hawdd cofio mai dyna oedd ei alwedigaeth tan iddo gyrraedd ei ben-blwydd yn 37 oed.

Wedi hynny, dechreuodd ar y gwaith a'i gwnaeth yn un enwogion mwyaf y ganrif – y gŵr cyntaf yng Nghymru i dyfu o gefndir digon cyffredin i fod yn filiwnydd erbyn diwedd ei oes. Agorodd reilffyrdd lu: lein dyffryn Clwyd, lein o'r Drenewydd i Lanidloes, o Groesoswallt i'r Drenewydd ac oddi yno i Fachynlleth. Ymhellach i'r de bu'n gyfrifol am gysylltu Penfro â Dinbych-y-Pysgod, a Phencader ac Aberystwyth.

Dim ond hanner y stori yw'r rhestr hon o reilffyrdd; ei fenter fel gŵr busnes ac fel peiriannydd yn ystod y gwaith adeiladu sy'n drawiadol. Dim ond gŵr mentrus fyddai wedi torri drwy greigiau Newydd Fynyddog yn Nhalerddig i greu'r toriad rheilffordd, sef y *cutting* dyfnaf yn y byd. A gŵr craff ar y naw wedyn a ddefnyddiodd y cerrig a gafodd oddi yno i godi gorsafoedd newydd ymhellach i lawr y lein yng Nghemaes Road a Machynlleth. Doedd dim cloddwyr mecanyddol yn cael eu defnyddio ym Mhrydain yn y 1860au, dim ond powdwr saethu a llafur caib a rhaw cannoedd o weithwyr lleol. Fel hyn y disgrifiodd y *Shrewsbury Chronicle* ei gamp ym mis Medi 1861:

> *No wonder the railway contractors accustomed to ordinary difficulties fled when they saw this monster mountain in their path. Mr David Davies, however, never allowed the word 'cannot' to enter his vocabulary.*

Mae'n rhyfeddol na laddwyd yr un gweithiwr yn ystod y gwaith o gloddio'r toriad. Serch hynny, ddwy flynedd yn ddiweddarach, lladdwyd gyrrwr injan o'r enw Henry Clough pan blymiodd yr injan a yrrai i'r afon Twymyn wrth iddo adeiladu Pont y Glyn yng Nghomins Coch.

Roedd David Davies wedi gwneud ei ffortiwn ac yn ei breim yn 45 oed. Fe allai fod wedi gorffwys ar gorn y ffortiwn honno, ond na, troi ei olygon tua de

Cymru a'r diwydiant glo fu ei hanes wedyn. Agorodd wythiennau glo yn rhannau uchaf Cwm Rhondda, a chafodd cwmni yr *Ocean Collieries* yr enw o fod â chydwybod cymdeithasol a ragorai ar gwmnïau eraill. Ni fu'r un danchwa fawr yng nglofeydd y cwmni, ac mae straeon am deyrngarwch ei weithwyr iddo, a'r ffaith eu bod yn bodloni rhoi wythnos o waith yn rhad ac am ddim iddo ar adeg anodd yn hysbys i bawb bellach. Pwll y Dâr oedd y cyntaf i gael ffan i awyru o dan ddaear yn y Rhondda a Chwm-parc oedd y pentref cyntaf yn yr ardal i gael golau trydan.

Roedd ganddo fys mewn sawl potes ac yn 1874 cafodd ei ethol yn Aelod Seneddol Sir Aberteifi – sedd y bwrdeistrefi – dros y Blaid Ryddfrydol. Bu'n gymwynaswr i addysg yn gyffredinol ac i'r Coleg ger y Lli yn Aberystwyth yn arbennig. Chwaraeodd ran allweddol yn natblygiad porthladd y Barri, a dyna ni yn ôl wrth y cerflun yn Llandinam. Yn gefndir iddo mae'r bont gyntaf a gododd, gyda'i bwa unigol yn cario'r ffordd i gyfeiriad plasty Broneirion, sydd erbyn hyn yn ganolfan i fudiad y Geidiau yng Nghymru.

Bellach, caewyd y rhan fwyaf o'r rheilffyrdd a'r pyllau glo y bu'n gyfrifol am eu hagor, ac nid yw porthladd y Barri yn ddim ond cysgod o'r hyn a fu. Serch hynny, fe adawodd y llifiwr o Landinam farc parhaol ar hanes diweddar Cymru ar ôl ei farwolaeth yn 1890.

Dysgodd ei ddisgynyddion lawer oddi wrtho drwy wneud defnydd adeiladol o'i ffortiwn, a sefydlwyd cymdeithas genedlaethol i atal a thrin y diciâu. Y tu allan i ffiniau sir Drefaldwyn mae'r Deml Heddwch yng Nghaerdydd yn gofadail i waith diflino ei ŵyr, David Davies, dros gytgord rhwng gwledydd y byd.

Mae'n debyg mai ei gyfraniad mwyaf, serch hynny, fu arloesi'r syniad ymhlith ei gyd-Gymry ei bod hi'n bosib i ffermwr a gweithiwr o gefndir digon cyffredin ei gwneud hi ym myd busnes; ef oedd y gŵr cyffredin cyntaf i ddod yn filiwnydd yng Nghymru. Roedd yn meddu ar ddigon o hunanhyder a menter. Roedd yn blentyn ei gyfnod hefyd – yn enwedig yn ei agwedd tuag at y Gymraeg. Anerchodd y dorf yn Eisteddfod Genedlaethol Aberystwyth yn 1865 ac mae'r dyfyniad hwn o'r *Aberystwyth Observer* yn crynhoi'r agwedd honno:

> *He was himself a great admirer of the old Welsh language, and he had no sympathy with those who reviled their country and language (applause). Still he had seen enough of the world to know that the medium to make money by was English; and he would advice every one of his countrymen to master it perfectly (applause).*

Mae'r gofeb yn ei bentref enedigol wedi rhoi statws iddo ac mae enw'r dyn a'r lle wedi tyfu i fod ar wefusau'r rhan fwyaf ohonom.

Rhwng Llandinam a Llanidloes ceir sawl ffordd ac wtra sy'n arwain oddi ar yr A470 i lefydd digon diddorol. Ar ôl pasio dyffryn afon Feinion a'r y chwith mae'n bosib gweld bryniau Llandinam a fferm wynt Penrhuddlan a Llidiart-y-Waun o'r brifordd. Hon oedd y fwyaf yn Ewrop pan gafodd ei hagor, ac mae'n cynhyrchu digon o drydan i gyflenwi 21,600 o gartrefi. Filltir arall i fyny'r briffordd ger hoele Dôl-wen, mae'r ffordd ar y dde yn arwain i bentref ac ardal wledig, ddi-nod Oakley Park. Caewyd ysgol y pentref bellach ond bu neb llai nag R. Williams Parry yn brifathro yn Oakley Park am ddau dymor yn 1921. Mae coflyfr sy'n dyddio o'r cyfnod yn profi mai cynnyrch meidrol ei gyfnod oedd un o feirdd mwya'r Gymraeg yn ystod yr ugeinfed ganrif. Yn Saesneg yr ysgrifennodd yntau am blant a digwyddiadau bob dydd yr hafan wledig hon yn llyfr lòg yr ysgol.

Llanidloes

Bu Llanidloes yn fwy ffodus na'r un dref ym Maldwyn o safbwynt ei haneswyr lleol – pobl fel Edward Hamer (1840-1911), awdur *A Parochial Account of Llanidloes*; Horsfall Turner (1870-1936), prifathro'r ysgol ganolraddol, awdur ac arlunydd a feistrolodd y Gymraeg er ei fod yn hanu o Swydd Efrog, a Cecil Vaughan-Owen a sefydlodd Gymdeithas Hanes Arwystli.

Erbyn heddiw mae'r dref yn gartref i Ronald Morris, yr hanesydd cyfoes a gyfrannodd yn helaeth i'n dealltwriaeth o'r dref hon a Maldwyn gyfan. Yn ei lyfr gwych *Llanidloes Town and Parish: An Illustrated Account* mae'n olrhain hanes y dref i gyfnod y Normaniaid, sef y drydedd ganrif ar ddeg, pan godasant eu cestyll wedi iddynt dreiddio drwy ddyffryn Hafren cyn belled ag Arwystli – hen gantref a oedd yn bodoli cyn sefydlu tref Llanidloes. Y castell mwnt a beili hwn a roddodd ei enw i stryd a thafarn y *Mount* heddiw, ac mae'n debyg ei fod wedi'i leoli yng nghyffiniau'r dafarn a'r Ganolfan Gymdeithasol bresennol. Fel y rhan

fwyaf o drefi Normanaidd – Caersws, y Trallwng a'r Drenewydd – cafodd Llanidloes ei chynllunio'n fwriadol. Ceir olion amddiffynfa o bren a ymestynnai o afon Hafren yn y gogledd-orllewin hyd at Nant Bryn-du a Chochnant yn y gogledd-ddwyrain. Nodwedd trefi o'r fath oedd bod dwy brif stryd yn ffurfio croesfan lle cynhelid marchnad, ac mae'r hen neuadd farchnad ddu a gwyn yn Llanidloes, sydd ar yr un safle ers ei chodi yn ystod yr unfed ganrif ar bymtheg yn dal yn dyst i'r hen batrwm hwn. Y tu ôl i'r adeiladau a ffurfiai'r strydoedd hyn rhennid y tir yn stribynnau tenau a elwid yn *burgesses*.

Erbyn 1280 roedd y dref wedi datblygu'n ddigonol i Edward y Cyntaf ganiatáu Siarter i Owain ap Gruffydd ap Gwenwynwyn, arglwydd Arwystli, i gynnal ffeiriau a marchnadoedd. Mewn dogfen sy'n dyddio o 1309, cyfeirir at 66 o fwrdeisiau, sef trigolion a ddaliai fwrgais ac a dalai 12 ceiniog y flwyddyn am y fraint honno. Dim ond yn ddiweddar, yn 1988, y daethpwyd o hyd i Siarter Llanidloes ymhlith papurau stad y Wynnstay, ac maen nhw'n dynodi na dderbyniodd y lle statws bwrdeistref lawn tan 1344.

Does dim llawer o wybodaeth ar gael o'r cyfnod a ddilynodd y Ddeddf Uno pan deyrnasai teuluoedd pwerus fel Lloyd Berthlwyd, y Glynniaid o Lyn Clywedog ac Oweniaid y Garth.

Gwlân

Yn y *Commercial Directory*, yn 1788, disgrifiwyd y dref fel y bwysicaf yng Nghymru o safbwynt cynhyrchu gwlanen, a bu'n ganolbwynt bwysig i'r diwydiant o ganol yr unfed ganrif ar bymtheg. Câi llond wageni o wlanen eu cludo o'r dref i'r Trallwng yn wythnosol. Arferent ddosbarthu'r gwlân, ei bacio a'i osod ar gefn merlen cyn ei gludo i bentrefi cyfagos er mwyn iddo gael ei gribo a'i nyddu. Ymhen tipyn byddai'r dilledwyr yn casglu cynnyrch y crefftwyr lleol, sef yr edafedd. Ym mhob pentref roedd gan y trefnwyr neu'r 'dilledwyr' lleol asiant, a'i waith yntau oedd anfon y gwlân i ffermydd a bythynnod yr ardal.

Erbyn y 1840au roedd gwehyddu'n digwydd yn nhai y dref. Byddai llawr uchaf tai trillawr a oedd gefn wrth gefn ar strydoedd fel Victoria Avenue yn agored o un pen i'r llall fel bod lle i gadw peiriannau gwehyddu. Roedd yn rhaid gweithredu'r prosesau eraill fel cribo a nyddu mewn ffatrïoedd a gâi eu gyrru gan ddŵr; ffatrïoedd fel Glan Clywedog, Nant yr Hebog a Chaencoed. Roedd pandy yng Nghaencoed hefyd ac o leiaf un arall ym Mhwll-pridd ger Oakley Park.

Gellir dweud bod y diwydiant wedi cyrraedd ei uchafbwynt yn y dref rhwng 1870 a degawd cyntaf yr ugeinfed ganrif. Erbyn y cyfnod roedd stêm wedi'i gyflwyno i'r ffatrïoedd, ac yn union fel yn y Drenewydd roedd edafedd ei ddifodiant wedi'i gwau i garthen y diwydiant o'r cychwyn. Daeth y peiriannau llaw â grym dŵr a stêm i fygwth bywoliaeth y rhai a weithiai yn eu cartrefi; yn eu tro ni fuddsoddwyd digon o bres yn ddigon cynnar yn y rheiny i gystadlu â'r diwydiant gwlân yn Swydd Efrog. Ac yn eironig ddigon, unwaith eto, y gwendid hwn yn faterol a greodd gangen gref o fudiad radical y Siartwyr, fel yn y Drenewydd.

Siartwyr Llanidloes a helynt gwesty'r *Trewythen*

Richard Jerman, crefftwr o saer coed, oedd y gŵr a ddaeth â'r mudiad i Lanidloes pan ffurfiwyd cangen yno yn 1838. Cynhelid cyfarfodydd yn nhafarnau'r *Angel*, y *Llew Coch* ac yn neuadd y farchnad newydd, lle bu'r Siartwr cenedlaethol Henry Hetherington yn eu hannerch.

Fel yn y Drenewydd roedd dwy garfan yn ffurfio'r mudiad yn Llanidloes. Daeth gweithgareddau arfog honedig y garfan filwriaethus i glyw'r awdurdodau. Achosodd hyn i'r ynadon lleol ofni a gorymateb drwy ofyn i'r Ysgrifennydd Gwladol, yr Arglwydd John Russell, i anfon plismyn a milwyr i dawelu'r dyfroedd. Yn y diwedd anfonwyd tri phlismon o Heddlu'r Metropolitan i'r dref yn niwedd Ebrill 1839. Fe arestiwyd tri dyn o blith y dyrfa yn Stryd y Dderwen Fawr a'u cadw yng Ngwesty'r *Trewythen*.

Yn ôl rhai tystion, Thomas Edmund Marsh, cyn-faer lleol a dorrodd y ffenest gyntaf a chorddi'r terfysg er mwyn pardduo'r mudiad fel bod yr arweinwyr yn cael eu harestio. Beth bynnag a ddigwyddodd, y canlyniad ar y pryd fu i'r dorf dorri i mewn i'r gwesty a rhyddhau'r carcharorion. Bu'r canlyniad yn y pen draw yn llawer mwy difrifol i'r pedwar deg tri a arestiwyd – ac i Siartiaeth ym Maldwyn. Yn yr achos llys yn y Trallwng cafodd tri gŵr o Lanidloes ac un o'r Drenewydd eu halltudio i Botany Bay a charcharwyd y gweddill yng ngharchar Trefaldwyn er gwaethaf ymdrechion Hugh Williams – y radical o Fachynlleth a Sain Clêr – i'w hamddiffyn.

Symbylodd yr hanes berfformiadau

dramatig cyfoes fel *Pum Diwrnod o Ryddid* gan gwmni Theatr Maldwyn yn anfarwoli'r cyfan. Yn yr amgueddfa wych a agorwyd ar y gornel gyntaf ar y chwith i fyny Stryd y Dderwen Fawr arddangosir pastwn a gymerwyd oddi ar un o'r cwnstabliaid a llestr haearn a ddefnyddiwyd yn ystod y 'gwrthryfel' i doddi ceiniogau ar gyfer 'y cyfnod newydd'! Yn hanesyddol, fodd bynnag, pum niwrnod o drychineb fu'r digwyddiad i fudiad y Siartwyr ym Maldwyn yn niwedd y 1830au. Roedd yn ddigwyddiad a ddaeth â gweithgareddau Siartiaeth i ben; serch hynny, bu'r mudiad ei hun yn garreg filltir bwysig yn y frwydr i greu'r ddemocratiaeth a gymerwn ni mor ganiataol bellach.

Llanllenorion
Law yn llaw â llwyddiant y diwydiant gwlân, o'r 1840au ymlaen tyfodd bywyd crefyddol a diwylliannol y dref hefyd. Fel yn y rhan fwyaf o lefydd, roedd gwreiddiau'r grefydd anghydffurfiol honno'n dyddio'n ôl i'r ail ganrif ar bymtheg – cyfnod y Piwritaniaid ac i'r ddeunawfed ganrif, cyfnod ymdrechion ysgolion cylchynol Gruffydd Jones, Llanddowror. Yn ystod y 1740au cafodd Howell Harris ei erlid a'i groesawu yn y dref ar sawl achlysur ar ran y Methodistiaid a bu John Wesley yn pregethu ar garreg fawr ger neuadd y farchnad yn ôl un traddodiad.

Yn sgîl hyn i gyd adeiladwyd Capel Bethel gan y Methodistiaid yn 1799 – un o'r capeli cyntaf i gael ei godi ganddynt yn y sir, a llwyddodd y Wesleaid i godi'u capel cyntaf yn Stryd y Bont Hir yn 1802. Erbyn y 1820au roedd y Bedyddwyr a'r Annibynwyr wedi codi'u capeli nhw yn Stryd y Bont Fer a'r Anghydffurfiaeth hon a'i chyfarfodydd pregethu, ei chymanfaoedd canu a'i chadw'r Sul oedd yn rheoli bywyd crefyddol a diwylliannol y dref. Hyd at ddegawd olaf y bedwaredd ganrif ar bymtheg, y Gymraeg oedd prif iaith y dref.

Yn y cyfnod hwn y bedyddiwyd y dref yn Llanllenorion oherwydd ei chyfraniad i feysydd llenyddol, canu cynulleidfaol ac argraffu. Pobl fel Humphrey Gwalchmai (1788-1847), gweinidog Capel Bethel a golygydd talentog *Yr Athraw* – misolyn a drafodai faterion crefyddol ac a gâi ei argraffu gan Mendus Jones, Gwasg yr Albion. Cyfrannodd teulu enwog y Milsiaid i'r tri maes uchod. Dau wehydd oedd James Mills (1790-1844) a Richard Mills (1809-1844) a gyfansoddodd donau emynau ac anthemau; Richard a gasglodd *Caniadau Seion* a'r *Arweinydd Cerddorol* a gafodd ei gyhoeddi yn 1845 ar ôl ei farwolaeth gynnar. Parhaodd meibion Richard y traddodiad; roedd Richard y mab (1840-1903) yn argraffydd yn Rhosllanerchrugog, ac ef a sefydlodd bapur y *Rhos Herald* a'r Côr Meibion a ddaeth mor enwog. Ei emyn-dôn enwocaf yw *Arweiniad*.

Efallai mai'r mwyaf galluog o'r holl deulu oedd nai'r brodyr hyn, John Mills (Ieuan Glan Alarch 1812-1873), gweinidog Methodist a ysgrifennodd nifer o lyfrau yn ymwneud â cherddoriaeth, Iddewon a daearyddiaeth yr Ysgrythurau. Awdur llyfrau eraill ar ganu corawl oedd Thomas Williams (Hafrenydd 1807-1894); gwnaeth gyfraniad mawr drwy gyflwyno gweithiau cyfansoddwyr fel

Celtica heddiw – Plas Machynlleth gynt

Arddangosfa Celtica

Un o dai du a gwyn Aberriw.

Neuadd y Dref, y Trallwng

Hen Neuadd y Farchnad, Llanidloes

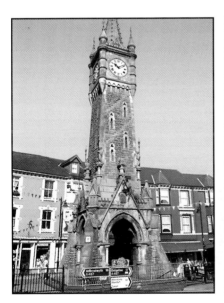

Cloc y Tŵr,
Machynlleth

Senedd-dy Owain Glyndŵr,
Machynlleth

Canolfan Owain Glyndŵr,
Machynlleth.

Cofeb Owain Glyndŵr
o flaen Celtica, Machynlleth.

Safle Sycharth, ger Llansilin.

Y Drenewydd, ger gardd goffa Robert Owen

Y Drenewydd – adeiladau Cloc y Dref o gyfeiriad y Stryd Fawr

Dyffryn Tanat

Pennant Melangell

Pontarddyfi, Machynlleth –
y ffin draddodiadol rhwng talaith Gwynedd a thalaith Powys.

Bron y Gân, Cemaes
– hen gartref Mynyddog. Cartref
Islwyn a Gweneira Lewis a fu mor
weithgar gydag Aelwyd Cwmlline.

Bedd Nansi Richards
ym mynwent Pennant Melangell

Llyn Llanwddyn

Cerdded ar Fryn y Begwn ('Beacon Hill')

Camlas y Trallwng   *Cerdded llwybr Owain Glyndŵr.*

Trên bach Llanfair Caereinion

Cofeb Wynford Vaughan Thomas ar y ffordd fynydd rhwng Dylife a Machynlleth

Y Star Inn, Dylife

Dôl-lydan yn Nolfach, Llanbryn-mair –
hen gartref Richard Davies (Mynyddog)

Glan-llyn, lle ganed y Dr Iorwerth Peate

Dolwar Fach heddiw

Eglwys Llanfuhangel-yng-Ngwynfa gyda cholofn bedd Ann Griffiths

Capel Coffa Ann Griffiths,
Dolanog

Plac coffa William Morgan ar wal Eglwys
Llanrhaeadr-ym-Mochnant.

Eglwys Llanrhaeadr-ym-Mochnant

Y Stryd Fawr, Llanfyllin

Mathafarn, ger Llanwrin

Eglwys Sant Tudur, Darowen

Pentref y Bontfaen – Forge gynt, ger Machynlleth

Plac i gofio am Richard Wilson ar wal Eglwys Penegoes

Blaenplwyf Uchaf, cartref y bardd Dafydd Wyn Jones, awdur yr englyn i Owain Glyndŵr ar y gofeb ym Machynlleth

Ffatri Laura Ashley, Carno

Handel, Haydn a Mozart i bobl Cymru. Ond mae'n debyg mai Ceiriog oedd y bardd neu'r llenor enwocaf a dreuliodd gyfnod yn byw yn y dref, a hynny rhwng 1865 ac 1870. Daeth yno yn llawn hyder fel gorsaf-feistr – swydd a oedd yn *rankio* yn ôl ei gyfaill, Creuddynfab. Serch hynny, gadawodd am orsaf Tywyn yn fethiant llwyr. Sonnir amdano'n llawnach mewn cysylltiad â'r Fan a Chaersws. Mae'r Arglwydd Emlyn Hooson, y cyn-Aelod Seneddol Rhyddfrydol, yn dal i ymgartrefu yma.

Mae gogoniant y tîm pêl-droed wedi pylu bellach fel y dref ei hun. Yn ystod y 1980au adeiladwyd ffordd osgoi, ac ni fu'r un llewyrch ar ei bywyd economaidd ers hynny. Disgrifiwyd Machynlleth fel tref a ddaeth allan o'i chragen ar ddiwedd yr ugeinfed ganrif; buasai'r un mor wir disgrifio Llanidloes fel tref a aeth i'w chragen yn ystod yr un cyfnod.

Llangurig tua Phumlumon

Mae'n werth ymweld â phentref Tylwch. Mae'n anodd coelio heddiw fod rheilffordd yn mynd o Lanidloes drwy'r ardal hon a bod gorsafoedd bach i'w cael fel Glanyrafon sydd rhwng Tylwch ym Maldwyn, a Phant-y-dŵr ym Maesyfed. Ar y briffordd sy'n dringo i Langurig gwelir olion rheilffordd arall ar y chwith; rhan o gynllun uchelgeisiol i gysylltu Manceinion a Milffwrt nad aeth yn bellach na'r ardal hon yn 1863 ydyw.

Roedd safle eglwysig pwysig yma. Clas neu fynachlog Geltaidd a sefydlwyd gan Gurig a fu farw yn 550 oedd dechreuadau Llangurig, ac ar ôl 1180 rheolid y lle gan fynachod Sistersaidd Ystrad Fflur. Ystyrir Llangurig, sydd ar lannau afon Gwy, yn

un o bentrefi uchaf Cymru, am ei fod bron i fil o droedfeddi uwchlaw lefel y môr. Lle i deithio drwyddo ydyw i'r mwyafrif ohonom heddiw, ond yn y gorffennol teithiai pobl i Langurig i ymweld â'r dyn hysbys – y 'cynjrar' a ddywedid yn lleol. Ceir sôn am Edward Savage yng nghanol y ddeunawfed ganrif yn gwella anifeiliaid drwy ddefnyddio perlysiau ac yn meddu ar y ddawn i witsio neu reibio pobl.

Mae'r daith i fyny dyffryn afon Gwy ac Eisteddfa Gurig yn ein cludo i rannau gwylltaf ac uchaf Maldwyn. Mae'n werth ymweld â tharddiad afon Gwy. Yng nghyffiniau'r fan honno gwelir olion hen waith plwm Nant Iago a oedd yn gweithio yn ystod cyfnod y Rhyfel Mawr. Cerddai mwynwyr o Geredigion ac o Ddylife i weithio yno ar fore Llun, a byddent yn aros mewn dau farics – y naill ar gyfer mwynwyr Ceredigion a'r llall ar gyfer mwynwyr Maldwyn. Nid yw'r barics yno bellach, ond gellir gweld olion y gwaith henffasiwn hwn gyda'i gyfres o ysgolion yn plymio i berfeddion y ddaear.

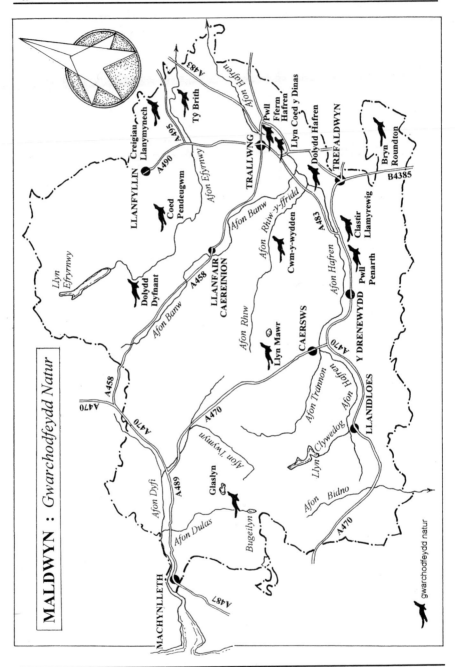

MALDWYN : *Gwarchodfeydd Natur*

Twymyn, Iaen, Carno a'r Cyffiniau

Yng Nglantwymyn mae'r ffordd fawr yn fforchio; â'r naill i'r chwith i fyny dyffryn Dyfi, ac â'r llall ymlaen i gyfeiriad Llanbryn-mair, dyffryn afon Twymyn.

Comins Coch a Darowen

Tro siarp dros bont afon Twymyn, pont arall i gario'r rheilffordd dros y ffordd a'r afon, teras o dai unllawr ar un ochr i'r ffordd ac ysgol wedi cau ar yr ochr arall – dyna yw Comins Coch. Bu Dilys Cadwaladr, y ferch gyntaf i gipio'r goron yn yr Eisteddfod Genedlaethol yn brifathrawes yno rhwng 1930 a 1931. Yn ddiweddar cyhoeddodd un o feibion cyfoes enwocaf y pentref, Dr John Hughes, Aberystwyth, ei hunangofiant – *Doctor by the Sea.* Mae'n cofnodi'n fyw y newidiadau a ddigwyddodd yn y pentref yn ystod tri chwarter canrif olaf yr ugeinfed ganrif.

Un o gymeriadau'r pentref ar ddiwedd y bedwaredd ganrif ar bymtheg a dechrau'r ugeinfed ganrif oedd David Howells neu Eos Maldwyn. Roedd yn ffotograffydd, yn glocsiwr ac yn gerddor.

Mae Darowen, yng ngorllewin Maldwyn, fel Llanfihangel-yng-Ngwynfa yn nwyrain y sir, yn bentrefi bach o'r neilltu, ac mae'r ddau ar fryniau, gyda'u heglwysi'n ganolbwynt iddynt. Daeth llawer o'r seintiau cynnar o'r tu allan i Gymru ac mae rhai haneswyr eglwysig o'r farn bod nawddsant yr eglwys yn Narowen, sef Tudur yn perthyn i garfan o seintiau a ddaeth o'r Hen Ogledd, o gyffiniau Galloway yn yr Alban. Roedd yn

berthynas i Gybi (Caergybi) ac fe gaiff ei frawd Tyrnog (o Glwyd) ei goffáu ar fferm Rhosdyrnog yn yr ardal gan fod cae yno o'r enw 'cae'r hen eglwys'.

Beth bynnag am ddirgelwch ei hanes cynnar, mae'n debyg mai'r offeiriad enwocaf i gael ei gysylltu â'r eglwys yw teulu enwog Thomas Richards. Fel hyn y cafodd ei ddisgrifio gan T.I. Elis yn ei gyfrol *Crwydro Maldwyn:*

> Gŵr o sir Aberteifi oedd Thomas Richards; daeth i Ddarowen yn ficer yn haf 1800, ar ôl bod yn gurad yn Llanymawddwy. Yr oedd ganddo wyth o blant, pump o feibion . . . a thair o ferched. Bu'n gweinidogaethu yma am ddwy flynedd ar bymtheg ar hugain, a gweld ei feibion oll yn offeiriaid, a phob un yn gwasanaethu, am beth amser o leiaf, yn sir Drefaldwyn.

Ysgrifennodd Mari Headley, gwraig T.I. Elis yn ddiweddarach a merch ficer Dylife yn nechrau'r ugeinfed ganrif, nofel yn dwyn y teitl *Awelon Darowen,* sy'n cofnodi mewn ffuglen hanes a gweithgarwch y teulu hynod hwn. Un o draddodiadau hynafol yr ardal yw hwnnw am dair carreg noddfa yn ffurfio triongl y tu mewn i drefgordd Noddfa, a'r rheiny'n rhoi nawdd a thrugaredd i droseddwyr rhag y gyfraith.

Llanbryn-mair

Heb os, hwn yw un o blwyfi mwyaf ac enwocaf Cymru o safbwynt hanesyddol. Dyma fel y disgrifiwyd ei brif nodweddion daearyddol gan Dr Iorwerth Peate yn ei hunangofiant *Rhwng Dau Fyd:*

> Plwyf helaeth, tua dwy ar bymtheg

a thri ugain o filltiroedd sgwâr, yw Llanbryn-mair, gyda nifer o bentrefi bychain – Pandy Rhiwsaeson, Tafolwern, y Wynnstay (y Coc ydoedd yr enw cyn i'r dafarn gowtowio i'r tirfeddiannwr) Pen-ddôl, Dôl-fach, y Llan, y Bont (sef Pontdolgadfan) a'r Pennant – wedi tyfu yma a thraw. Dyffryndir tair afon ydyw a'r bryniau sy'n ei amgylchynu.

Ble mae dechrau? Gwell dilyn cyngor Peate eto yn ei anerchiad, *Traddodiad Llanbryn-mair.* 'Pa sawl un ohonoch a safodd rywdro ar domen Castell Owain Cyfeiliog yn Nhafolwern?' Mae'r domen hon a'r afonydd Twymyn ac laen sy'n dolennu o'i chwmpas yn fan arbennig. Mae'n debyg iddo gael ei adeiladu gan Owain Cyfeiliog a gafodd yr hawl i reoli cwmwd Cyfeiliog gan ei ewyrth, Madog ap Maredudd yn 1149, tywysog olaf y Bowys unedig. Yn ôl Richard Williams, un o haneswyr y plwyf ac awdur y gyfrol *Montgomeryshire Worthies* (1889) roedd bardd teulu Owain yn byw yn ffermdy Pentre-mawr gerllaw, a elwid bryd hynny yn Bentre Cynddelu (Brydydd Mawr). Serch hynny, roedd yr Owain hwn yn fardd ei hun ac fe ysgrifennodd y gerdd enwog *Hirlas Owain.* Yn honno mae'r tywysog yn gofyn i'w fenestr (ei was) lanw cyrn yfed holl aelodau ei osgordd mewn gwledd yn y llys er mwyn diolch iddynt am eu dewrder mewn brwydr y noson flaenorol.

Y pentref nesaf – y prif bentref erbyn heddiw, yw pentref tafarn y *Wynnstay* – tafarn y *Coc*, fel y nododd Peate, a oedd yn safle ble cynhaliwyd ymladdfeydd ceiliogod. Erbyn hyn, ceir ysgol a siop yno. Wrth dalcen y *Wynnstay* mae'r ffordd yn arwain i fyny Cwm Tafolog a phentref Pandy Rhiwsaeson ac yno yng Nglan Llyn ar y chwith y magwyd Iorwerth Cyfeiliog Peate (1901-1982) – llenor, bardd a churadur cyntaf Amgueddfa Werin Sain Ffagan hyd nes ei ymddeoliad yn 1971. Roedd yn ŵr o ddaliadau cryfion; ystyriai ei hun fel etifedd traddodiad anghydffurfiol a heddychol Llanbryn-mair. Ar wahân i dair cyfrol o ysgrifau a hunangofiant, cyhoeddodd tua phum cyfrol o gerddi, ac mae sonedau fel *Yng Nghegin yr Amgueddfa Genedlaethol* a thelynegion fel *Nant yr Eira* yn rhan o gynhysgaeth farddol y mwyafrif o ddisgyblion ysgol sydd dros eu deugain oed. Rhoddodd y cwm ei enw barddol i Richard Davies, awdur awdlau hirwyntog a haniaethol a fu'n byw yno yng nghanol y bedwaredd ganrif ar bymtheg.

Wrth barhau ar hyd y briffordd fe eir heibio ffermdy Dôl-lydan a fu'n gartref i Fynyddog, Richard Davies (1833-1877). Bu yntau'n arweinydd eisteddfodau a chyngherddau, a lluniodd rhai o ganeuon mwyaf adnabyddus Cymru – mae caneuon fel *Gwnewch Bopeth yn Gymraeg*, geiriau *Myfanwy*, cân enwog Joseph Parry a geiriau pennill cyntaf *Sosban Fach* yn dal i fod mewn bri. Yn ei hastudiaeth feistrolgar o feirdd Llanbryn-mair olrheiniodd Angela Bennett, y Drenewydd, darddiad amryw o'i gerddi i draddodiad y *parlour songs* Saesneg. Roedd Richard Davies yn ŵr ffraeth, parod ei ateb yn ogystal. Pan gafodd ei urddo â'r enw barddol, fe'i cyfarchwyd ef un bore gan un o wragedd y pentref: 'Bore da i ti'r hen Fynyddog'. Atebodd yntau fel ergyd: 'Ac i tithe'r hen feiden dafodog'!

Yr Hen Gapel a 'Sam y Deg Capel'

Cyn i Henry Rees adeiladu'r Hen Gapel yn 1739 arferai'r gynulleidfa gwrdd yn y Tŷ Mawr. Cyn hynny roedd cysylltiad clòs rhwng hanes y grefydd ymneilltuol yn Llanbryn-mair rhwng 1635 a 1660, a Phiwritaniaid blaenllaw fel Vavasor Powell a Walter Cradoc. Un o broblemau mawr yr addolwyr cynnar yn yr Hen Gapel oedd bod bedyddwyr babanod a bedyddwyr credinwyr yn addoli gyda'i gilydd! Felly ymneilltuwyr o Fedyddwyr a gwrddai yn Llanbryn-mair i ddechrau.

Y pregethwr enwocaf i weinidogaethu yno oedd Samuel Roberts (1800-1885) neu 'Sam y Deg Capel' fel y câi ei alw, a hynny am fod deg o gapeli ac ysgoldai yr ardal o dan ei ofal. Cafodd ei addysgu gan ei dad John Roberts ac yn yr Amwythig a Llanfyllin. Roedd ei gylchgrawn, *Y Cronicl* yn gyfrwng pwysig i S.R. gyflwyno'i syniadau radical; roedd yn heddychwr ac fe wrthwynebai gaethwasiaeth a rhyfela o bob math. Dyn o flaen ei oes ydoedd – fe gredai mewn rhoi'r bleidlais i ferched a dynion, a chyflwynodd y syniad o gael stamp ceiniog. Beirniadai ddulliau treisgar y Siartwyr a Merched Beca a bu'i frawd John Roberts hefyd yn gyfrifol am olygu'r *Cronicl*.

Cythruddodd y meistr tir, Syr Watcyn Williams Wynne a'i stiward S.R. i gyhoeddi'i brotest yn ei gyhoeddiadau *Diosg Farm* a *Farmer Careful*. Dyna oedd y rheswm iddo yntau hefyd ymfudo i America am ddeng mlynedd, ond cafodd ei siomi yno a'i gamddeall yng nghyfnod y Rhyfel Cartref. Rhannai ei frawd Gruffydd Rhisiart yr un syniadau; cefnder y brodyr oedd William Williams – Gwilym Cyfeiliog (1801-1876), awdur yr emyn *Caed trefn i faddau pechod*.

Gyferbyn â phentrefi Pen-ddôl a Dôl-fach mae mynydd Newydd Fynyddog a roes ei enw barddol i Richard Davies, ac ar ei lethrau gellir gweld y Diosg, cartref y Robertsiaid. Ar ei lethrau hefyd roedd bwthyn o'r enw Hafod-y-bant, cartref Richard Tibbot (1719-98) a ddisgrifir gan Peate fel 'gŵr rhadlon a chywir'. Bu yntau'n weinidog yn yr Hen Gapel ac yn gyfaill i Howell Harris. Does dim prinder enwogion yn Llanbryn-mair. Pobl fel y Parch. Abraham Rees, (1743-1825) a aned yn fab i Lewis Rees, gweinidog cyntaf yr Hen Gapel. Daeth yn ysgolhaig ac yn llenor o fri cydwladol a golygodd y *Cyclopaedia* yn ogystal â chyfrannu'n helaeth iddo. Mab y Cefn oedd Evan Davies (1794-1855), neu Eta Delta – gŵr o argyhoeddiad, nad oedd bob amser yn boblogaidd. Bu'n weinidog mewn sawl man yng ngogledd Cymru.

Plwy'r ffatrïoedd a'r crefftwyr

Roedd brawd Eta Delta, John Davies (1783-1855) neu Peiriannydd Gwynedd, fel y'i gelwid, yn cwmpasu'r ochr ddiwydiannol a'r ochr ddiwylliannol i hanes Llanbryn-mair. Roedd yn beiriannydd a dyfeisydd, yn of, gwneuthurwr clociau ac yn fardd a cherddor. Bu galw mawr am ei beiriannau mewn ffatrïoedd gwlân ledled Cymru, ac roedd ganddo fusnes lewyrchus.

Roedd pannu'r gwlân yn broses bwysig, a gwelid sawl pandy ar lannau afonydd yr ardal: Pandy Uchaf, Pandy Isaf, Pandy'r Cock, Pandy Rhiwsaeson a Phandy Bach. Yn ôl un amcangyfrif roedd tua 500 o boblogaeth yr ardal yn ymwneud â'r diwydiant gwlân mewn rhyw ffordd neu'i gilydd yn y 1820au. Roedd wyth ffatri yno i gyd erbyn 1831 a does ryfedd i'r plwyf gael ei alw'n 'blwy'r ffatrïoedd'. Byddai gweithwyr y diwydiant gwlân yn Llanbryn-mair yn driw iawn i'w crefydd; gwrthodent gludo'r wlanen ar y Sul, a byddent yn teithio i'r Trallwng ar nos Sadwrn er mwyn osgoi teithio ar y Saboth.

Roedd arferion y diwydiant yn rhan o batrwm y bywyd gwledig yno, fel llawer o bentrefi Maldwyn. Er enghraifft, er mwyn lliwio'r wlanen arferid defnyddio 'lleisw' neu biso, ac fe âi'r gweithwyr o gwmpas gyda bwcedi yn hongian oddi ar eu certi i'w gasglu o dŷ i dŷ. Cysylltid amryw o grefftwyr dyfeisgar â'r ardal. Symudodd John Tibbot (1759-1820) a oedd yn enedigol o Bennarth i'r Cawg yn 1807 ar ddiwedd ei oes ar ôl bod yn glociwr yn y Drenewydd. Dyfeisiodd y cloc 'pendil rhydd' cyntaf yn y byd, ond diflannodd y cloc wedi iddo gael ei anfon i Lundain, er gwaetha'r ffaith bod disgrifiad manwl ohono ar gael. Ond roedd Tibbot yr un mor bwysig am iddo brentisio Eseciel Hughes, Cwmcarnedd (1766-1849) yn ei weithdy yn y Drenewydd.

Terfysgoedd, ymfudo a 'phress gangio'
Eseciel Hughes oedd y gŵr a arweiniodd y fintai gyntaf o ddwsin o wŷr, gwragedd a phlant o Lanbryn-mair i'r Amerig yn 1795 gan ddechrau traddodiad o ymfudo a barhaodd drwy'r ganrif ddilynol. Roedd grwpiau yn ymfudo o sawl ardal arall fel Ceredigion, Pen Llŷn ac ardaloedd diwydiannol y De. Pam?

Câi digwyddiadau byd eang fel y Chwyldro Ffrengig effaith ar ardaloedd gwledig Cymru. I wneud pethau'n waeth, roedd y tywydd yn ddrwg, a dyblodd pris ŷd rhwng yr 1780au a 1795. Roedd terfysgoedd bwyd yn rhemp yn ardaloedd Llanbryn-mair a Charno yn ystod y cyfnod hwn; byddai'r tlodion yn atal wageni a oedd yn llawn ŷd ac yn ei ddosbarthu ymysg ei gilydd. Yn Ffeiliau Carchar Sir Drefaldwyn ceir sôn am ffermwr o'r ardal o'r enw John Elis a oedd o flaen ei well am iddo draddodi araith danllyd. Roedd hwn yn brawf fod traddodiad mwy milwriaethus na'r traddodiad heddychol yr ymfalchïai Peate ynddo wedi bod ar gerdded yn yr ardal. Dyma'i eiriau digyfaddawd:

> Mae'r tlodion yn cael eu gwasgu gan y cyfoethog. Dan ni wedi resolfio i gael Llywodraeth arall a dyw o ddim mewn power Boneddigion y wlad i'n stopio ni. Os gwnânt, mi fydd hi'n waed am waed.

Y gwir amdani ydi fod pobl fel John Elis yn rhy dlawd i ymfudo gan fod treth ymfudo yn rhy uchel iddo yntau a'i debyg. Ond i'r rhai a oedd â digon o fodd, roedd rhesymau eraill yn eu symbylu hefyd, fel atgyfodi'r chwedl fod Madog wedi darganfod America ymhell o flaen Columbus. Roedd William Jones, o blwyf Llangadfan gerllaw, yn annog ei gyd-Gymry i adael eu 'tasgfeistri Eifftaidd' i fynd i chwilio am yr Indiaid a oedd yn siarad Cymraeg. Ac yn Llanbryn-mair nid oedd agwedd drahaus y meistr tir – Syr Watcyn a'i stiwardiaid – yn gwneud bywydau'r trigolion yn hawdd.

Gwyddom lawer am hanes ymfudo'r fintai gyntaf yn 1795 am fod George Roberts, un o'r aelodau, ac ewyrth Samuel Roberts, wedi adrodd yr hanes mewn llythyr at ei nai hanner can mlynedd yn ddiweddarach. Cychwynnodd eu taith ar yr 11 Gorffennaf, 1795 wrth iddynt gerdded yr hen ffordd dros Fwlch Glyn Mynydd o bentref Bontdolgadfan drwy bentrefi Tal-y-wern ac Abercegir. Treuliasant y Sul ym Machynlleth am eu bod nhw mor grefyddol cyn cerdded yr holl ffordd i Gaerfyrddin mewn deuddydd. Roedd Eseciel Hughes eu harweinydd wedi trefnu bod eu holl eiddo ar gyfer y daith yn cael ei gludo gan geffyl a throl. Roedden nhw'n bwriadu mynd ar fwrdd cwch, neu slŵp, o Lansteffan gerllaw Caerfyrddin er mwyn hwylio i Fryste i gwrdd â llong – y *Maria*.

Ond hwn oedd cyfnod y rhyfela yn erbyn Ffrainc, ac roedd y *press gang* mewn llong yn yr aber yn barod i bresgangio'r dynion i ymuno â'r rhyfel. Cafodd y fintai loches gan drigolion Caerfyrddin a cherddodd y dynion yr holl ffordd i Fryste, tra arhosodd y merched yn Llansteffan er mwyn croesi ar y slŵp a chwrdd â'r *Maria* allan ym Môr Hafren. Ond roedd y gwynt yn eu herbyn y tro hwn, a bu'n rhaid iddynt aros am wythnosau. Yn wir, bu'n rhaid iddynt gerdded hefyd, a bu bron iddynt golli'r llong. Ar ôl mordaith drafferthus fe hwylient i fyny aber y Delaware ar 24 Hydref – dros dri mis ar ôl iddynt adael Llanbryn-mair.

Fe fuon nhw'n llwyddiannus iawn ar ôl ymfudo. Prynodd Eseciel Hughes lawer o dir a fu'n eiddo i'r brodorion, yr Indiaid. Dyna ran o eironi'r ymfudo ac eironi hanes – gadael gormes landlordiaeth Llanbryn-mair ac etifeddu trefn ormesol (o safbwynt y brodorion, beth bynnag) mewn byd a oedd i fod yn un 'newydd'. Magodd deulu o saith o blant a chafodd fywyd llawn tan ei farw yn bedwar ugain oed.

Roedd y fintai hon yn arloeswyr. William Bebb, mab Ned Bebb, oedd y bachgen gwyn cyntaf i gael ei eni yn Butler County, Ohio ac fe dyfodd i fod yn Llywodraethwr y dalaith ac yn un o reolwyr ymgyrch etholiadol neb llai nag Abraham Lincoln ei hun. Ysgrifennodd Ambrose Bebb, y cenedlaetholwr a'r awdur a oedd yn ddisgynnydd o'r un teulu, nofel yn dwyn y teitl *Dial y Tir* a gafodd ei seilio ar gyfnod a hanes yr ymfudo. Yn ystod y bedwaredd ganrif ar bymtheg ymfudodd degau o'r ardal, ac er mwyn cael cymorth tueddent i ymfudo i'r un man. Roedd ardal *Paddy's Run* yn Ohio yn un o'r ardaloedd a ddenai ymfudwyr o Lanbryn-mair i gyd-fyw a chydaddoli.

Bontdolgadfan a'r Llan

Y prif bentref yn yr ardal oedd pentref eglwys y plwyf. Bellach mae pentref y Llan ar y ffordd sy'n mynd i gyfeiriad Llanidloes drwy Benffordd-las. Hon oedd y brif ffordd o'r ardal i Fachynlleth cyn i bentref Wynnstay dyfu wedi dyfodiad y ffordd newydd a'r rheilffordd yn y 1860au. Arferai'r ffordd hon fynd dros Fwlch Glyn Mynydd, ac er gwaetha'r ffaith fod llawer o goedwig o'i hamgylch wrth fynd i lawr i gyfeiriad Tal-y-wern, mae'n un arall o'r llu o ffyrdd cefn hynny sy'n werth teithio arnynt ar gownt eu golygfeydd godidog.

Ystyrir yr arferiad o gysegru eglwys

i Fair yn un Normanaidd – yn enwedig os ydyn nhw'n agos i gastell Normanaidd. Ond mae'n fwy tebygol bod Llanbryn-mair, fel Llanfair Caereinion, yn perthyn i gyfnod llawer cynharach na'r Normaniaid. Mae'r eglwys a'r hen ysgoldy sydd ynghlwm wrthi'n hardd, ac mae darnau o'r adeilad presennol yn perthyn i'r bymthegfed ganrif.

Mae pentref hardd Bontdolgadfan sydd ar lannau'r Twymyn hefyd yn gysylltiedig â thraddodiad diwylliannol a diwydiannol Llanbryn-mair. Yma yr adeiladodd y Methodistiaid eu capel cyntaf ym Maldwyn yn 1767. Ar wahân i'r cysylltiad amlwg â'r diwydiant gwlân, arferai crefftwyr a chryddion Bontdolgadfan werthu eu cynnyrch mewn ffeiriau misol yn Nylife pan oedd y diwydiant plwm yn ei fri. O bentrefi fel y Bont cerddai'r mwynwyr i weithio yng ngwaith Dylife, ac i mwynfeydd fel Tŷ Isaf a Llannerch-yr-aur oddi ar y ffordd o'r pentref i gyfeiriad Penffordd-las.

Yr Aleppo, Murray, Laura a chyffuriau

Mae pentref Carno yn gymysgedd go frith o'r hen a'r newydd. Yr eglurhad swyddogol am yr enw ydi ei fod yn gysylltiedig â'r afon Clorin, neu â'r holl garneddi cynhanesyddol sy'n amgylchynu'r pentref. Ceir amryw o draddodiadau lleol eraill sy'n cysylltu enw'r lle â bryn ar ffurf ceffyl o'r enw Clorin sydd yng nghanol y plwyf.

Enw'r dafarn ydi'r *Aleppo Merchant,* ac mae'n debyg bod un o dafarnwyr cynnar y lle wedi gwneud ei ffortiwn fel capten llong – drwy ddulliau go amheus hefyd yn ôl rhai – ac ar ôl dychwelyd rhoddodd enw'r llong ar y dafarn. Gŵr amheus arall a gysylltir â

hanes mwy diweddar Carno yw Morris Llywelyn Humphreys (1899-1965), sy'n fwy adnabyddus fel *Murray the Hump.* Ymfudodd ei rieni o fferm y Castell i Chicago yn nechrau'r 1890au, ac yno y ganed Morris. Pan oedd yn ddeunaw oed roedd o flaen ei well; gŵr o'r enw y Barnwr Murray, ac o'r adeg honno mabwysiadodd enw'r Barnwr gan dynghedu i osgoi cael ei ddal gan y gyfraith.

Yn ystod dyddiau cythryblus gwahardd alcohol, yn dilyn Deddf Gwaharddiad 1921, pan dyfodd y busnes proffidiol o werthu alcohol ar y slei am ddwbl y pris y tyfodd enwogrwydd Murray hefyd fel taflwr asid, llofrudd a thwyllwr. Dylanwadodd ar ganlyniadau etholiadau drwy newid pleidleisiau a ddeuai drwy'r post wrth gasglu crwydriaid i un llety mawr a chyfnewid eu pleidleisiau am fatras i gysgu arno. 'Pleidleisiwch yn gynnar, pleidleisiwch yn aml' oedd ei arwyddair! Roedd Al Capone yn gangster llwyddiannus yn ystod y cyfnod hwnnw, a daeth yr *Hump* yn ffrindiau ag ef; ymddiriedai Capone ddigon ym Murray fel iddo adael ei holl fuddiannau yn ei ddwylo yn 1928.

Ar ôl cyfnod y Gwaharddiad rhoddodd Murray ei fysedd ym mhotes gwleidyddol America a byd yr undebau yn Hollywood. Roedd Joseph Kennedy yn un o'i elynion ac roedd yn bresennol mewn cyfarfodydd tyngedfennol i ethol John F. Kennedy yn ymgeisydd. Heb os, roedd ganddo feddwl gwleidyddol craff iawn – rhoddwyd llysenwau di-rif iddo, ac mae un ohonynt – *Einstein of the Mob* – yn adlewyrchu'r craffter a oedd mor nodweddiadol ohono. Bellach, ddegawdau ar ôl ei farwolaeth, enillodd ragor o barch yma yng Nghymru, gydag un grŵp pop yn mabwysiadu ei lysenw, a gwleidydd fel Dafydd Wigley yn fodlon arddel ei fod yn hanu o'r un teulu â'r gangster o Garno (Ann Wigley oedd enw mam Murray cyn iddi briodi).

Ond llwyddo i wneud ei ffortiwn drwy aros yng Ngharno a thrwy ddulliau llawer mwy teg a soffistigedig a wnaeth Laura Ashley. Plannodd hithau ei hedyn mewn ffatri fach yn Nhŷ Brith yn 1963; tyfodd y busnes yn gyflym, a chyn bo hir enillodd siopau Laura Ashley eu plwy ledled y byd. Rhoddai'r arddull flodeuog-wladaidd a addurnai ei dillad a'i llenni stamp unigryw i'r cwmni. Bu farw mewn damwain drasig yn ei chartref ac ar ôl hynny aeth cwmni Laura Ashley'n 'gyhoeddus' gan golli cysylltiad â'r gwreiddiau yng Ngharno ym marn llawer. Bellach, mae'r busnes wedi aildyfu ar ôl y dyddiau blin, ac mae'n dal i gyflogi cannoedd yn ei ffatrïoedd.

Mae 'Ashleys' fel y cyfeirir at y cwmni'n lleol wedi cyfrannu'n helaeth at gyflogi gweithlu lleol mewn cylch go fawr yng ngorllewin Maldwyn, gan lwyddo i roi swyddi da i bobl ifainc a'u cadw yn yr ardal. Mae'n arwyddocaol o safbwynt newid economaidd a chymdeithasol bod Laura Ashley wedi cyfrannu i'r ugeinfed ganrif ym Maldwyn yn yr un modd ag y gwnaeth David Davies, Llandinam yn ystod y bedwaredd ganrif ar bymtheg.

Yn ieithyddol a diwylliannol, trwy gyfrwng yr ysgol gynradd leol, mae'r Gymraeg yn dal ei thir yn rhyfeddol mewn pentref sydd ar ochr ddwyreiniol cefndeuddwr Talerddig. Mae englyn y diweddar John Thomas, *Bron Haul*

(1866-1945) i *Llidiart y Mynydd* yn berl o safbwynt ei symlder; englyn gan wladwr ydyw i wrthrych a ddiflannodd i raddau helaeth oherwydd y newid mewn arferion amaethyddol. Serch hynny, mae'n englyn y gellir ei ddehongli mewn sawl ffordd o safbwynt byd natur neu'r diwylliant Cymraeg ym Maldwyn:

Llidiard uwchlaw llidiardau – a godwyd
I gadw terfynau
Ar fynydd oer ei fannau,
A'i werth i gyd wrth ei gau.

Ardal y llynnoedd ym Maldwyn

Mae'n werth troi i'r chwith rhwng Clatter a Phont-dôl-goch ac ymweld â'r ucheldir a'r llynnoedd sydd y tu ôl i Fethel, Bwlch-y-ffridd a Bwlchygarreg. Ceir dros ddwsin o warchodfeydd natur y tu mewn i ffiniau'r sir ac mae hon yn un ohonynt. Er mai Llyn Mawr ydi enw'r safle, ceir tri llyn yma mewn gwirionedd: Llyn Mawr (SO009971), Llyn Tarw a Llyn Du. Un o'r pethau cyntaf sy'n debyg o daro'ch clustiau wrth nesu atynt yw cri hiraethus y gylfinir. Gwelir adar eraill ar y tir gwlyb sydd o gwmpas y llynnoedd; yr wylan benddu, y gïach a bras y cyrs. Daw'r hwyaid yma i glwydo yn ystod y gaeaf hefyd – y bengoch, y chwiwell a'r hwyaden ddanheddog.

Mae'n ardal bwysig o safbwynt planhigion y dŵr hefyd. Dyma a ddydwed cyhoeddiad Cymdeithas Byd Natur Maldwyn:

ar yr ochr orllewinol, fe geir 'darlun nodweddiadol', mor fanwl-gywir â'r hyn a gaech chi mewn llyfr gosod, o ddilyniant llysdyfiant; o'r hyn sy'n tyfu'n y dŵr agored, drwy'r siglen â'i phlanhigion corsog, hyd at y ffen neu'r fignen o goed helyg . . . a'r planhigion sy'n tyfu ar y dorlan rosdirol.

Wrth godi'ch llygaid o'r llyn mae'r golygfeydd i gyfeiriad Llanllugan a Llanwyddelan a Chefn Coch yn rhai godidog o nodweddiadol o Faldwyn. Fel hyn y disgrifiodd T.I. Ellis ei ymweliad â'r ardal yn y chwedegau:

Yr oedd llu o enwau diddorol eraill i'm denu – Y Glonc, Pant-y-gesail, Parc-y-rhiw; ond y tro hwn tecach oedd edrych tuag adref. Dychwelais i Lanwnnog, cerdded allan i'r ffordd fawr, a dal y trên yn stesion Pontdol-goch.

Go brin y gallech chi gerdded ar y ffordd fawr bellach, ac amhosib fyddai dal trên ym Mhontdol-goch, gan fod yr orsaf wedi cau a phob trên yn gwibio heibio.

Y Ffordd Fynydd o Fachynlleth i Lanidloes

A oes deunaw milltir arall yng Nghymru sydd mor gyforiog o olygfeydd, hanes a chwedloniaeth wledig a diwydiannol? Wrth fynd allan o'r dref a gyrru ar hyd ffordd ddisietin y cwrs golff daw'r stori – neu'r hanes – am y garreg fasnach i gof. Yn ôl yr hanes, trawyd tref Machynlleth â phla heintus. Ni fentrai pobl y wlad yn agos iddi, felly roedden nhw'n arfer gadael bwyd a chynnyrch y tir ar garreg enfawr yn y cyffiniau. Wedyn, gadawai trigolion y dref arian ar y garreg fel tâl. Rhag ofn y byddent yn dal yr haint, arferai'r gwladwyr olchi'r rhain mewn nant sy'n cael ei galw hyd heddiw yn Nant yr Arian!

Serch hynny, yr enw Saesneg – Forge – a fu ar Machynlleth tan rai blynyddoedd yn ôl, ac mae'r enw hwnnw'n cyfleu hanes diweddar y pentref orau.

Ar waelod rhiw Croeslyn mae troad ar y dde sy'n arwain i gwm yr afon Dulas. Arferai Lewis Lewis, y melinydd olaf i fyw yn ffermdy Felin Dulas sydd ar lan yr afon gerdded ben bore i fyny i agor llifddorau Llyn Glaslyn er mwyn sicrhau bod digonedd o ddŵr yn yr afon i falu a gweithio pandai'r dyffryn.

Defnyddid dŵr o Lyn Bugeilyn, sy'n efaill i Lyn Glaslyn, i weithio gwaith plwm Cwm Byr yng nghanol y bedwaredd ganrif ar bymtheg. Rhwng 1863 a 1877 cafodd 376 tunnell o blwm ynghyd â 1160 owns o arian ei gloddio yno. Mae olion y ffos sy'n ddwy filltir o hyd i'w gweld o hyd ar draws yr esgeiriau creigiog, ac yn y cyffiniau hynny bu ffermdy Esgair Llyn a anfarwolwyd gan Dafydd Iwan wrth iddo gofio gwyliau ei blentyndod gyda'i ewyrth a'i fodryb yn fferm Nantyfyda.

Mynachod Sistersaidd ac Owain Glyndŵr

Ym mlaenau'r cwm mae fferm Mynachdy sy'n ein cludo'n ôl fil o flynyddoedd. Ar ôl sefydlu abaty Ystrad Marchell ger y Trallwng yn y 1170au, rhoddodd Gwenwynwyn, mab Owain Cyfeiliog, lawer o diroedd yr ardal hon i fynachod Ystrad Marchell. Enw'r ardal rhwng rhwng Llyn Bugeilyn a Nant y Moch bryd hynny oedd Pennant Cynlling. Yn ddiweddarach, prynodd y mynaich diroedd ffermydd cyfoes Rhoswydol a hanner fferm Rhosygarreg am £5-5 swllt!

Y man enwocaf ar y mynydd-dir hwn yw Hyddgen, lle enillodd Glyndŵr frwydr enwog yn ystod haf 1401. Does dim i nodi'r fan ond dwy garreg a elwir yn Gerrig Cyfamod – dwy garreg wen drigain troedfedd ar wahân ar linell unionsyth o'r gogledd i'r de. Does neb yn gwybod pa gyfamod y cyfeirir ato, a does dim prawf pendant eu bod yn perthyn i gyfnod yr arwr hyd yn oed. Ceir sawl traddodiad arall am lefydd sy'n gysylltiedig ag Owain. Gelwir hafn yn y graig sydd heb fod nepell o Hyddgen yn Siambr Trawsfynydd, ac yn ôl traddodiad llafar, yma y bu ei filwyr yn cuddio.

Mae'n anodd amgyffred byddin yn llwyddo i guddio a brwydro mewn lle mor ddiffaith, ond mae traddodiad arall am lwybr o'r enw Llwybr Ystablau sydd yn arwain o waelod creigiau Rhosygarreg i Hyddgen. Yn ôl y diweddar fardd-heliwr, Iorwerth Jones, a oedd yn adnabod yr ardal fel cledr ei law, câi bwyd y milwyr ei gludo gan asynnod neu geffylau er mwyn porthi'r milwyr. Gall y sinig ddweud mai coelion gwlad yn unig ydi'r rhain, ond maen nhw'n bwysig fel y dywed yr Athro Rees Davies yn ei gyfrol ddiweddar am Owain wrth gyfeirio at ei ddatblygiad o 'fod yn arwr lleol cefn gwlad a thestun chwedlau rhyfeddol . . . yn wladweinydd o fri ac yn broffwyd a anwyd ganrifoedd o flaen ei amser'.

Yr 'Aber' a Melinbyrhedyn

Y cwm nesaf ar y dde oddi ar y ffordd hon ydi'r cwm sy'n arwain i Aberhosan. Mae pentref 'Aber', fel y'i gelwir gan y trigolion, yn swatio o dan gysgod Moel Fadian, ac ni cheir ffordd dyrpeg i arwain allan ohono ym mhen draw'r cwm; hwn yw un o'r *cul de sacs* harddaf yng Nghymru. Ceir aber go iawn hefyd efo afon Briwnant (a roes ei enw canol i'r hanesydd rheilffyrdd Gwyn Briwnant Jones), sy'n ymuno â nant a elwid ar un adeg yn Rhosan – sef nant sy'n tarddu ar rostir bychan. Dyna ystyr enw'r pentref, mae'n debyg.

Nythle i gapel yr Annibynwyr, ysgol sydd wedi cau (sydd bellach yn ganolfan gymdeithasol), a chlwstwr o dai yn yr 'aber uchaf'; mae'r pentref yn enghraifft wych o le a lwyddodd i gynnal bywyd cymdeithasol bywiog, ac mae amserlen y Ganolfan yn amrywio o Gylch Meithrin i Ferched Madian i Gymdeithas Hanes weithgar. Gyferbyn â'r pentref mae cenel pac helgwn Plas Machynlleth.

Helsmon enwocaf y pac oedd y bardd-heliwr Iorwerth Jones. Roedd yn fardd telynegol, cynnil a fynegodd yn sensitif ei adwaith i dro'r tymhorau ac i ddigwyddiadau megis boddi cymoedd Clywedog a Nant y Moch yn ystod y pumdegau a'r chwedegau. Mae'r delyneg sy'n crisialu ei brofiad o arwain yr helgwn i Geulan yn gofnod gwerthfawr o ddiwylliant gwledig y cymoedd hyn ers cenedlaethau:

Ceulan

Gollyngais yr helgwn o'r cenel
Yn fuan 'rôl toriad gwawr,
A chefais eu dilyn i Geulan
I roceri'r Brenin Mawr.

Hen rwbel gwaith mwyn yn
           domennydd
Yn cuddio 'nghysgod y coed,
A chlwstwr o flodau o'u hamgylch
Heb owns o wrtaith erioed.

Y melyn a'r porffor yn gymysg
Heb unrhyw arwydd o gwsg,
A myrdd o nodwyddau o'r ffawydd
Yn syrthio i hufen y mwsg.

Mor wael oedd y tir, ond mor
           berffaith
Oedd lliwiau'r blodau di-ri;
Gobeithiaf mai'r un yw'r Cynlluniwr
Sy'n trefnu fy Hydref i.

Arweinia'r ffordd gul sy'n fforchio i'r chwith ar ben rhiw Croeslyn i bentref Melinbyrhedyn – a Thal-y-wern yn y pen draw. Bellach, clwstwr o dai yn hytrach na phentref ydi Melinbyrhedyn ac mae capel y Methodistiaid sydd ar waelod y rhiw ar y gornel fel cofgolofn i'r oes a fu.

Yn y 1850au sefydlwyd Cymdeithas Gyfeillgar Rhydyfelin – yr hen enw ar y pentref. Bryd hynny, roedd llawer o fwynwyr a weithiai yng ngweithfeydd plwm Rhoswydol a Dylife yn byw yno. Arferent gyfrannu 12 swllt y flwyddyn i gronfa'r Gymdeithas fel y gallent dderbyn rhwng 5 a 7 swllt y flwyddyn os digwyddai iddynt gael eu taro'n sâl. Roedd y Gymdeithas hon felly yn gweithredu rhyw fath o wladwriaeth les leol flynyddoedd cyn i'r Llywodraeth feddwl am hynny.

Mae hanes Band Melinbyrhedyn a sefydlwyd yn 1907 yn gysylltiedig â'r Gymdeithas hon. Uchafbwynt y flwyddyn yn ei hanes oedd y Sadwrn cyntaf ym mis Mehefin pan orymdeithiai ar hyd y cefnffyrdd yr holl ffordd i Ddarowen lle cynhelid gwasanaeth byr yn yr eglwys. Mae'n siŵr bod honno'n olygfa gofiadwy – y band yn taro *See the Conquering Hero Comes* a dau o'i gwnstabliaid yn defnyddio'u ffyn i gadw trefn ar y trigolion o bobtu'r ffordd!

Dros y Grafie i Ddylife

Mae'r grid gwartheg sydd ar draws y ffordd fynydd ger Cae Eitha, fel y mae'r enw ei hun yn awgrymu, yn dynodi dechrau'r mynydd-dir. Erbyn heddiw mae dulliau cyfoes o amaethu wedi rhoi gorchudd o lesni dros dir a fu'n llawer mwy llwm.

Mae enwau'r rhiwiau yn ddiddorol hefyd. Bedyddiwyd y rhiw sydd yn union ar ôl y grid yn 'rhiw saith milltir' gan y mwynwyr a arferai gludo'r plwm ar droliau i lawr o Ddylife gan fesur y pellter rhwng y fan a phorthladd Derwen-las. Yn uwch i fyny mae rhiw'r grafie yn dynodi natur y tir graeanog.

Mae'n werth oedi ar ochr dde rhiw'r grafie ac ymweld â chofeb unigryw Wynford Vaughan Thomas ar fin y ffordd. Ceir eisteddfan sydd ar ffurf hanner cylch ag amlinelliad o'r mynyddoedd a welir o'r fan ar ddiwrnod clir wedi ei gerfio mewn llechen arni, yn coffáu'r teithiwr yn ogystal â bod yn ddathliad o brydferthwch naturiol canolbarth a gogledd Cymru. Mae Cader Idris, Aran Fawddwy a'r Wyddfa ei hun yn weladwy oddi yma, ond y teimlad o weld y cyfan o blygion bryniau mwynach a llai ysgythrog Maldwyn sy'n rhoi'r wefr fwyaf.

Ar ôl dringo'r grafie mae'r ffordd yn gwastatáu a'r olygfa'n newid eto. Ar y dde ceir wtra sy'n arwain i gyfeiriad gwarchodfa natur Glaslyn a brynwyd gan Gymdeithas Byd Natur Maldwyn. Mae'n werth cerdded oddi yma tuag ato a mentro ymhellach i gyffiniau hen ffermdy a llyn Bugeilyn a anfarwolwyd mewn pennill telyn gan gadeirydd Pwyllgor Gwaith prifwyl 2003, Gwynn ap Gwilym:

Mi chwenychais glod a bri
Ac aur pan own i'n llencyn;
Wedi'u cael, ces weld na ddaeth
Ond hiraeth oer i'w canlyn;
Rhown y cyfan erbyn hyn
Am awr wrth lyn Bugeilyn.

O'r fan hon mae modd cychwyn cerdded y pedair milltir unig i lawr cwm Hengwm, heibio i geg cwm Gwarin a hen luestai fel Gelligogau sy'n adfeilion bellach. Dyma'r ffordd orau hefyd i gyrchu safleoedd hanesyddol Hyddgen a Siambr Trawsfynydd y cyfeiriwyd atynt ynghynt.

Wrth fynd i lawr y rhiw i gyfeiriad Dylife gwelir wtra yn fforchio i'r dde a gellir ei gweld yn mynd heibio i dŷ Rhydyporthmyn cyn dringo i gylchu gwaelod Penygrocbren a bwrw 'mlaen i gyfeiriad Penffordd-las a Llanidloes. Hon oedd yr hen ffordd a arferai gysylltu Machynlleth a Llanidloes cyn i Syr Watcyn Williams-Wynne adeiladu'r ffordd bresennol sy'n mynd heibio'r *Star Inn* yn y 1860au. Mae darnau ohoni sy'n mynd heibio i gaeres Rufeinig Penygrocbren yn dyddio'n ôl i gyfnod y Rhufeiniaid.

Mae'n werth oedi ar Benygrocbren. Yn ôl archeolegwyr, safle plismona neu gysgodfan oedd safle petryal y gaeres. Ganllath neu fwy i'r chwith gwelir ffurf crwn yn y tir sy'n dyddio'n ôl i Oes y Pres. Daethpwyd o hyd i esgyrn wedi'u llosgi yno sy'n awgrymu iddo fod yn gladdfa o ryw fath. Ond y darganfyddiad mwyaf dramatig o bell ffordd oedd codi caets hen haearn crogi â phenglog ynddo yn 1938. Dau ŵr chwilfrydig lleol o'r enw Wil Richards ac Ifan Gwilym Davies a'i cododd, ac mae'r erchyll beth yn cael ei arddangos yn Amgueddfa Werin Sain Ffagan.

Roedd y stori am Siôn y Gof yn fyw iawn ar lafar ymhell cyn hynny. Siôn oedd y dihiryn a adawodd ei wraig a'i blant yng Ngheredigion i fynd i weithio yn y gwaith plwm yn Nylife ble syrthiodd mewn cariad â morwyn fferm Llwyn-y-gog. Ymhen tipyn cerddodd y wraig a'i dau blentyn – un ohonynt yn blentyn sugno – yr holl ffordd i Ddylife i chwilio amdano. Gadawaf i Wil Richards adrodd beth ddigwyddodd wedyn yn ei eiriau ei hun:

> Pan ddoth ei wraig o i Felin-newydd mi ffeindiodd Siôn yno yn hapus dros ben ac yn dangos ei fod o'n falch i'w gweld hi a'r plant. Arosasent yno am gwpwl o ddiwrnodau. Yr hen bobol sy'n deud hyn cofiwch. Rŵan, ar ôl gweld bod popeth yn iawn mi benderfynodd hi gychwyn yn ôl adref. Aeth Siôn i'w hebrwng hi. Roedd yr hen ffordd fawr . . . yn mynd o fewn hanner canllath i hen siafft nad oedd yn gweithio. Doedd dim dŵr o gwbl ynddi. Wedi iddyn nhw gyrredd fan hyn mae'n debyg fod Siôn wedi mwrdro'r tri a'u towlud nhw i lawr i'r siafft.

Wedi hynny fe ymddangosodd o flaen ei well yn y Trallwng a chafodd ei ddedfrydu. Fe'i crogwyd – neu ei sibedu, sef ei labyddio drwy daflu cerrig gwynion ato – yn ôl Mari Jervis, dynes leol a fu farw yn gant oed yn 1938. Yn ystod y 1980au a'r wythdegau daethpwyd o hyd i hanes yr achos yn Ffeiliau Carchar Sir Drefaldwyn. Yn fyr, cyhuddir John Jones, gof, o blwyf Penegoes yn Sir Drefaldwyn o ladd Thomas Lloyd ac Avarina Lloyd, babanod a'u mam Catherine David (Lloyd gynt) drwy eu taflu i lawr siafft fwyn ddofn ar y nawfed dydd o Ionawr, 1720. Dros y blynyddoedd tyfodd llawer o draddodiadau llafar am ysbryd Siôn a'i 'wraig', am y gof yn llunio'i haearn crogi ei hun ac ati. Seriwyd y cyfan, hanes a'r chwedl a dyfodd o'i gwmpas ar gof ardal gyfan.

Fel Siôn y Gof, cafodd tirlun Dylife ei sibedu gan ddiwydianwyr hefyd ar hyd y canrifoedd. Yn wir, gellir bod yn lled sicr fod y Rhufeiniaid wedi bod yn cloddio yno gan fod sôn am hen lefel, 150 gwryd o hyd, ar ffurf arch yn ystod y bedwaredd ganrif ar bymtheg.

Canol y bedwaredd ganrif ar bymtheg oedd oes aur Dylife. Ar ôl cyfnod trafferthus ar ddechrau'r ganrif pan oedd Hugh Williams Gelli Goch, Glaspwll a John Pughe, Aberdyfi yn gyd-berchnogion ar y Gwaith, daeth y ddau ddiwygiwr cymdeithasol, Richard Cobden a John Bright â gwaedigaeth i'r lle. Fel y nodwyd eisoes priododd

Richard Cobden â Catherine, merch Gelli Goch a chwaer i Hugh Williams yr ymgyrchydd radical ar ran y Siartwyr a Merched Beca.

Rhwng 1849 a 1858 cafodd Cobden drafferthion mawr i ffurfio cwmni i'w redeg yn dilyn marwolaeth ei dad-yng-nghyfraith a John Pughe. Yn 1854 ysgrifennodd:

I have had more trouble and correspondence about the Dylifi affairs than about all my private concerns for the past twenty years.

Serch hynny, llwyddodd i ffurfio cwmni o dan gadeiryddiaeth John Bright yn 1858. Am bymtheng mlynedd yn dilyn hynny, hwn oedd y Gwaith mwyaf llwyddiannus yng Nghanolbarth Cymru am gyfnodau hirion.

Mae adroddiad gloyw gan arolygydd mwynfeydd y Llywodraeth a gyhoeddwyd yn 1863 yn tystio i lwyddiant a safon uchel y gweithgareddau yno:

I consider the whole of the winding machinery in use there to be the most perfect to be found in the metallic mines visited . . . the men go to and from their work in the clothes worn underground. Dyliffe mines present the only exception met with.

Roedd dylanwad y ddau ddiwygiwr yn amlwg yn y ffaith eu bod wedi darparu ystafelloedd newid i fwynwyr Dylife yn ogystal ag offer o safon uchel.

Serch hynny roedd ochr arall i'r swllt a enillai mwynwyr Dylife. Prin cant o dai oedd yn yr ardal i gyd ac felly roedd pawb yn cadw lojars; honnai hen fwynwyr fel Wil Richards nad oedd y

gwelyau byth yn oeri yno, ac ategir hynny gan arolygydd 1853:

I also found cases where two sets of men, sleeping in different coirs, slept in the same bed. As might be expected fever was raging in the district.

Cyfeirio at y ddarfodedigaeth neu'r diciâu a wneir. Mae'n eironig ar un olwg mai'r amodau byw wedi i'r gweithwyr dyrru i Ddylife yn hytrach na'r amodau yn y gwaith yn trin y plwm gwenwynig oedd lladdwr mwyaf y cyfnod.

Doedd radicaliaeth y ddau ddiwygiwr o Sais ddim yn gofalu am y gweithwyr yn eu cartrefi – yn wahanol i'r diwygiwr o'r Drenewydd, Robert Owen, rai degawdau ynghynt.

Pa le bynnag mae pobl yn ymgasglu mae difyrrwch a diwylliant arbennig. Yn achos Dylife roedd un eglwys a thri chapel, tri neu bedwar tafarn, ffeiriau misol, Cymdeithas Lenyddol ac eisteddfodau. Roedd dau o gymeriadau mawr yr eisteddfodau hynny yn ddau ffigwr cenedlaethol hefyd ar y pryd, sef Mynyddog o Lanbryn-mair a Ceiriog o Lanidloes a Chaersws yn ddiweddarach. Mae hanes Ceiriog yn actio cymeriad o'r enw Syr Meurig Grynswth ac yn defnyddio peiriant barddoni wedi'i gofnodi yn y wasg Saesneg yn fanwl ar y pryd:

The Chairman asked Sir Meyrick to produce an englyn I'r Ysgrifennydd. He turned the wheel but four timesand about a yard of tape came out. An awkward mistake occurred. The englyn, instead of being I'r Ysgrifennydd was an englyn to the Jac y Mawn Hotel:

Dyma dŷ i dwymo dawn – tŷ ceffyl,
    Tŷ coffi cysurlawn:
Tŷ cofiwch rydd beint cyfiawn,
Gee, come horse! dyma Jac y Mawn.

Y Ffrwd Fawr, Richard Bennet ac Elwyn Davies

Mae'n werth oedi yn yr arhosfan sydd ar y chwith ar y ffordd allan o bentref Dylife a chael cip ar raeadr y Ffrwd Fawr (sydd â chwymp o 147 troedfedd).

Gwyllt yw ei gwedd a'i gwallt gwyn
Hyd ei hysgwydd yn disgyn

oedd disgrifiad bardd gwlad lleol ohoni.

I lawr cwm afon Twymyn i gyfeiriad Pennant, Llanbryn-mair mae fferm yr Hendre. Bu'n gartref i Richard Bennett (1860-1937), hanesydd a ddaeth yn enwog am ei astudiaeth drylwyr o ymweliadau'r diwygiwr Methodistaidd Howel Harries â Sir Drefaldwyn. Mae'i gyfrolau *Blynyddoedd Cyntaf Methodistiaeth* (1909) a *Methodistiaeth Trefaldwyn Uchaf* (1929) yn ffrwyth yr astudiaeth honno.

Yno hefyd y magwyd Elwyn Davies y datgeinydd cerdd dant, arweinydd corau a beirniad eisteddfodol. Cyhoeddodd gyfrol hunangofiannol ddifyr yn dwyn y teitl *Newid ddaeth . . .* sy'n amlinellu'i atgofion am ffermio a bywyd yn gyffredinol yn ystod yr ugeinfed ganrif.

Y Stae a Llyn Clywedog

Y pentref nesaf ar y ffordd fynydd hon yw Penffordd-las; dyna'r enw cynharaf ar y lle, sydd wedi'i atgyfodi erbyn hyn. Serch hynny, yr enw sy'n coffáu cysylltiad y lle â'r Crynwyr a ddefnyddir gan drigolion yr ardal. Trodd tafodiaith

Maldwyn yr enw Saesneg Staylittle yn Stae. Pam Staylittle, felly?

Mae'r enw ynghlwm â chysylltiad ffermdy Esgair-goch a mudiad y Crynwyr yn ystod hanner cyntaf y ddeunawfed ganrif. Roedd John Goodwin, Esgair-goch yn un o arweinwyr pennaf Cymdeithas y Cyfeillion neu'r Crynwyr ym Maldwyn. Cyfeirir at y mudiad hwn a dioddefaint ei ddilynwyr eto mewn cysylltiad ag ardaloedd eraill, ond yn 1725, sefydlwyd tŷ cwrdd a mynwent yn fferm Esgair-goch.

Yn dilyn Deddf Goddefiad 1689, caniateid rhyddid cydwybod i'r Cyfeillion i adeiladu tai cwrdd, ond roedden nhw'n dal i gael eu cosbi am eu bod yn gwrthod talu'r degwm. Yn dilyn y cyfnod hwn gwanhaodd y mudiad, ond mae'n debyg ei bod hi'n arferiad gan yr aelodau i dalu ymweliad â'r 'mynwentydd unig' – fel y geilw'r hanesydd Ronald Morris o Lanidloes nhw. Mae'n debyg mai'r ymadrodd *'stay a little'* a ddefnyddient, a thyfodd yr ymadrodd i fod yn enw ar yr ardal.

Bu capel y Bedyddwyr yn y pentref yn chwaer-eglwys i Seion yn Nylife, a bu Dr Cernyw Williams – a ysgrifennodd lawlyfrau ar gyfer yr ysgol Sul – yn weinidog yno yn y 1860au. Mae'r ysgol ddyddiol wedi cau bellach, ond mae Cyngor Sir Powys wedi manteisio ar y safle gan agor canolfan awyr agored yno. Mae'n lle delfrydol i gerdded ar y bryniau a hwylio a chanŵio ar Lyn Clywedog gerllaw. Mae siop y pentref yn dal i fod ar agor.

Llyn Clywedog

Mae'n bosib teithio ar ddwy ffordd o gwmpas y gronfa – y brif ffordd sy'n pasio heibio pentref Stae, a ffordd droellog, hamddenol Coedwig Hafren sy'n mynd drwy bentref Llwyn-y-gog a heibio'r argae. Pan gloddiwyd y gronfa yn ystod y chwedegau er mwyn rheoli llif afon Hafren yn ystod gaeafau'r gorlifo mawr, codwyd yr argae concrid uchaf ym Mhrydain – 237 troedfedd o uchder. Ar y ddwy ffordd sy'n ei hamgylchynu mae'r gronfa fel rhyw octopws mawr yn ymddangos a diflannu rhwng y bryniau. Ar y ffordd gefn mae'n bosib mynd ar daith gerdded hyfryd o gwmpas y penrhyn neu'r gefnen sy'n gwthio i ganol y prif lyn.

Wrth fynd ar hyd y briffordd i gyfeiriad Bwlch-y-gle, ni allwn ni, Gymry Cymraeg, anwybyddu'r golled a ddaeth yn sgîl cronfeydd octopwsaidd fel Clywedog. Dyma ddisgrifiad Phyllis Griffiths, Llanbryn-mair gynt, o'r lle ar ôl haf sych 1976:

> pan ddaeth gwely holltiog y llyn yn grachen frown i'r golwg. Er chwilio'n ddyfal . . . ni ddarganfûm ddim o werth – dim ond llond y ffwrn wal o jariau jam – i'w cadw i gofio am yr unig dro efallai i mi sefyll ar dir lle bu fy nghyndadau yn gweini tymor â'u llafur diwyd . . . Canys gyda'r wythnosau daeth y glaw i ail-lanw'r llyn. Heddiw, gorwedd corff y gymdeithas yn sgerbwd noeth yn nyfnderoedd du'r Llyn, ac mae Aberbiga a'r Gronwen bellach, gyda Eblid a Groes Isa, Ystradgynnod, Llwybr Madyn a Chypyllwyd yn adfeilion, yn esgyrn gwasgaredig, a'r dŵr yn sugno'r mêr ohonynt a'u pydru am byth.

(allan o *Cynefin*, cyfrol y Fedal Lenyddiaeth, Eisteddfod Genedlaethol Urdd Gobaith Cymru, Ogwr 1979)

Bryn-tail, Crowlwm a'r Fan

Lle hanesyddol arall sydd heb fod nepell o Lyn Clywedog ym mhlwyf Llanidloes yw ffermdy Crowlwm. Am flynyddoedd rhoddwyd cryn sylw i'r ffaith mai hwn oedd safle'r ysgol Sul gyntaf i'w chynnal yng Nghymru. Bellach, mae haneswyr fel Ronald Morris yn amheus o hynny, ac yn tybio mai un o ysgolion cylchynol Gruffydd Jones, Llanddowror a gynhaliwyd yno.

Mae'n amhosib dianc rhag y gweithfeydd plwm niferus a geir yng ngorllewin Maldwyn. O dan gysgod cronfa Clywedog agorwyd hen waith Bryn-tail i'r cyhoedd. Yn ôl David Bick, arbenigwr ar weithfeydd mwyn Maldwyn, roedd hwn yn ei anterth cyn adfywiad y bedwaredd ganrif ar bymtheg, er na fyddai wedi llwyddo i gadw ar agor oni bai am lwyddiant gwaith y Fan gerllaw. Serch hynny, llwyddwyd i godi 384 tunnell o blwm yno yn 1851 – blwyddyn orau'r gwaith. Yn ddiweddarach, oherwydd prinder plwm, rhoddwyd cryn bwyslais ar godi *barytes* – rhyw fath o risial trwm ar gyfer ei werthu. Ar un adeg bu sôn am agor rheilffyrdd i fyny'r dyffryn o Fryn-tail i Lanidloes ac yn ddiweddarach oddi yno drwy Ben-y-clun i waith y Fan. Ond doedd y gwaith ddim yn gwarantu'r fath ddatblygiad mewn gwirionedd.

Wrth ddringo'r rhiw serth o Fwlch-y-Gle gellir gweld pentref y Fan a'i cronfa ddŵr fechan i lawr y cwm ar y chwith. Dyma un o'r enghreifftiau gorau yn y wlad o waith a phentref yn tyfu'n glondeicaidd dros nos. Trawyd ar wythïen gyfoethog yn 1865, ac erbyn y 1870au roedd yr holl le wedi'i drawsnewid; codwyd tai pentref cyfan, capeli ac ysgol. Yn ei ddydd, hwn oedd gwaith plwm mwyaf Prydain; yn ystod 1876 gwerthwyd gwerth £113,000 o gynnyrch ac roedd elw'r Cwmni yn £40,000 − swm rhyfeddol yn ystod y cyfnod hwnnw. Yn ystod ei flynyddoedd gorau llwyddodd gwaith y Fan i ddyblu cynnyrch gwaith enwog Dylife.

Cyflogid 700 o weithwyr yno yn 1876, ac esgorodd llwyddiant y gwaith ar nifer o weithfeydd eraill, llai llwyddiannus na'r prif waith − gweithfeydd fel *Van Consols, East Van* a *Great West Van*. Ond yn debyg i dynged llawer o weithfeydd plwm y cyfnod, daeth y trai yn llawer cynt na'r disgwyl. Gostyngodd pris y plwm yn 1878; yn sgîl hynny gostyngodd y gwerthiant a diswyddwyd mwynwyr. Erbyn 1887, dim ond 137 a gyflogid yno ac fe'i caewyd yn gyfan gwbl yn 1892. Ceisiodd sawl cwmni ei adfer a'i ailagor yn ystod y pum mlynedd ar hugain canlynol, ond fe'i caewyd yn derfynol yn 1921.

Parhaodd y pentref yn ogystal â'r sefydliadau crefyddol ac addysgol a flagurodd dros nos wedi i'r gwaith gau. Er enghraifft, ni chaeodd capel hardd ac ystafell ddarllen y Wesleaid ei ddrysau'n derfynol tan 1992. Yn y capel hwn yr addolai'r Prifardd Gwilym Tilsley (1911-1997). Magwyd ef yn y gymdeithas ôl-ddiwydiannol honno, ac o ystyried hynny nid yw'n rhyfedd o beth iddo ddarlunio difodiant diwydiannol mewn dull mor graffig yn ei awdl *Cwm Carnedd:*

> Mae wyneb llwm y cwm cau
> Yn braenu rhwng y bryniau

> A rhwng clytwaith o greithiau,
> Lôn gul, fel incil yn gwau.

Y rheilffordd a Ceiriog

Am fod y gwaith mor llwyddiannus llwyddwyd i agor rheilffordd i wasanaethu gwaith y Fan − a'r gymuned yn ddiweddarach. Roedd hi'n lein lled safonol, chwe milltir a hanner o hyd a oedd yn cysylltu'r gwaith â phrif lein y Cambrian yng Nghaersws. Ni lwyddodd yr un gwaith plwm arall ym Mhrydain i agor rheilffordd ar yr un raddfa â hon. Cadeirydd Rheilffordd y Cambrian ar y pryd oedd yr Iarll Vane-Tempest (a ddaeth yn Ardalydd Londonderry yn ddiweddarach); mae'r ffaith mai yntau oedd wedi gosod y tir ar les i gwmni'r gwaith yn y Fan yn sicr o fod wedi rhoi hwb i'r fenter hon.

Cychwynnodd gludo nwyddau yn 1871 a theithwyr ddwy flynedd yn ddiweddarach. Er iddi gau am gyfnod byr rhwng 1893 a 1896, ailagorwyd hi dan reolaeth lein y Cambrian, ac fe barhaodd i wasanaethu'r ardal tan 1940. Cafodd y lein hon ei henwogi hefyd gan ei rheolwr, y bardd John Ceiriog Hughes, o 1871 tan ei farwolaeth yn 1887. Ar ôl cyfnodau o fethiant fel gorsaf-feistr yn Llanidloes a Thywyn dychwelodd i fyw i Gaersws. Dyma ddisgrifiad David Jones, siopwr yn y Fan ohono:

> Gwisgai *top hat,* o'r defnydd goreu, *frock coat,* a gwasgod oleu. A'i gerddediad fel pe wedi cael triniaeth filwrol. Hefyd, mynnai siarad bob amser yn Saesneg.

Fel y dywed Hywel Teifi Edwards amdano yn ei gyfrol: 'Yn ei drên dwy-a-dimai câi Ceiriog fwynhau ffantasîa megis "Walter Mitty" wrth anturio'n feunyddiol i'r Fan.'

Yn ystod y cyfnod alcoholaidd hwn cyfeillachai'n lleol â beirdd fel Mynyddog o Lanbryn-mair ac â charwyr llên fel Nicholas Bennett, Llawr-y-glyn yn ogystal â mynychu tafarnau fel *Jac y Mawn* ym Mhenffordd-las. Cyhoeddodd ei gerddi a'i ganeuon mwyaf poblogaidd megis *Nant y Mynydd* ac *Alun Mabon* cyn iddo gyrraedd Sir Drefaldwyn, ac maent yn dal i apelio hyd heddiw.

Ardal Rhiw-bechan

Rhiw-bechan

Dyma'r enw ar yr ysgol newydd a godwyd yn Nhregynon yn 1990 pan gaewyd ysgolion cynradd Betws Cedewain, Manafon, Pant-y-crai yn yr Adfa a hen ysgol gynradd y pentref ei hun. Mae'r enw yn cwmpasu dalgylch afon Bechan a rhannau uchaf afon Rhiw. Arllwysa honno i afon Hafren yng nghyffiniau pentref Aberriw, ffurf gywir yr enw llygredig Berriew a welir ar yr arwyddion. Yn ôl y diweddar G.G. Evans, y Drenewydd, cyn-swyddog Addysg ym Maldwyn ac arbenigwr ar anterliwtiau, enwau lleoedd ac enwau afonydd, nid y gair 'rhiw' *(hill)*, oedd y gair gwreiddiol ond 'rhyw' a olygai ddŵr yn llifo, fel yn y gair 'rhaeadr'.

Heb os, mae Aberriw yn un o bentrefi harddaf y sir gyda'i dai du a gwyn, ei eglwys a'i dafarndai yn ogystal â'i blastai a'r olion cynhanesyddol hynafol y cyfeirir atynt yn y bennod ar hanes cynnar y sir. Beuno yw'r sant a gysylltir â'r eglwys, ac roedd yn genhadwr a ddysgodd amryw o seintiau eraill yng nghyffiniau'r ardal – megis y brodyr Llwchaearn (Llanllwchaearn) ac Aelhaearn (a gysylltir â Llanllwchaearn a Llamyrewig). Mae Maen Beuno, y pulpud y dywedir iddo bregethu oddi arno, yn weladwy o hyd. Yn ôl ei Fuchedd, clywodd Beuno ŵr yn hysio'i gŵn mewn iaith estron yr ochr arall i afon Hafren, ac yn ôl yr hanes gadawodd yr ardal yn fuan ar ôl hyn. Yn y dechrau, hon oedd mam eglwys cantref Cedewain, ac ef yw nawddsant eglwys Betws Cedewain ar ben arall y daith drwy ddyffrynnoedd y ddwy afon.

Er nad ydi'r eglwys bresennol yn hen – mae'n dyddio'n ôl i ddechrau'r bedwaredd ganrif ar bymtheg – dyddia rhannau o'r hen ficerdy du a gwyn yn ôl i ddechrau'r 1660au pan oedd Thomas Kyffin yn ficer yno.

Mae'n werth dyfynnu darn o gywydd Guto'r Glyn i gartref Edward ap Hywel ap Ieuan Llwyd:

Neuadd fawr, newydd firain,
Fwy no thref a wnaeth y rhain.
Tŷ ar y bryn, uwch tair bro,
Tŵr i bennaeth tir Beuno.

Bu Thomas Richards, (1785-1855) trydydd mab ficer Darowen, o'r un enw â'i dad yn cadw ysgol yno o 1813 hyd 1826. Ymhlith y disgyblion y bu'n eu dysgu roedd Alun, sef John Blackwell (1797-1841) cyn i hwnnw ddechrau astudio yn Rhydychen ac Ieuan Glan Geirionydd, sef Evan Evans (1795-1855) – dau a ddaeth yn arloeswyr y canu telynegol yng Nghymru yn ddiweddarach yn eu bywydau.

Gan fod y pentref wedi'i leoli ar lannau afon Rhiw, datblygodd i fod yn un o brif bentrefi'r diwydiant gwlân yn y sir yn ystod y bedwaredd ganrif ar bymtheg ynghyd â Llanbryn-mair, Llandysil a Llandinam.

Enwau cymysg eu hiaith fel Old Pandy a Brithdir (neu Hancocks Mill) a chofnodion am hen grefftwyr fel y cribwr gwlân yw'r unig dystiolaeth o'r hen ddiwydiant bellach. Erbyn heddiw mae'n bentref atyniadol i'r ymwelydd a'r sawl sy'n gallu fforddio byw mewn hafan wledig.

Tua Manafon a'r Felin Newydd a Llanllugan

Mae'r afon a fu'n porthi'r ffatrïoedd

gwlân wedi siapio'r dyffryn ar ffurf **U** bedol berffaith gan roi cynefin da i'r defaid a fu'n rhan mor hanfodol o'r diwydiant hwnnw. Mae'n wledd i lygaid y teithiwr, ac mae'n anodd coelio fod y dyffryn hwn wedi cael ei ystyried fel safle addas i greu cronfa ddŵr yn ôl yn y 1960au.

Nid oes yr un addoldy arall ym Maldwyn sydd â chysylltiadau llenyddol mor nodedig ag eglwys Manafon a gafodd ei chysegru i Sant Mihangel. Yma y dechreuodd y bardd a'r llawysgrifwr lliwgar o Gardi, Ieuan Brydydd Hir neu Evan Evans (1731-88) ar ei yrfa fel ciwrad yn 1755. Ni chafodd ddyrchafiad yn yr eglwys am iddo fod yn feirniad mor llym o'r 'Esgyb Eingl' – sef agwedd Seisnig esgobion y cyfnod. Ni fu ei hoffter o'r ddiod feddwol yn gymorth iddo chwaith. Serch hynny, copïodd hen lawysgrifau yn helaeth, a'i lyfr *Some Specimens of the Poetry of the Ancient Welsh Bards* oedd y detholiad Cymraeg cyntaf o farddoniaeth gynnar Gymraeg. Fel bardd, daeth yn enwog am ei ddisgrifiad o hen Lys Ifor Hael, sy'n gorwedd bellach mae'n debyg, nid o dan fieri, ond o dan yr M4 yng nghyffiniau Casnewydd:

Llys Ifor Hael gwael yw'r gwedd – yn garnedd
   Mewn gwerni mae'n gorwedd;
Drain ac ysgall mall a'i medd,
Mieri lle bu mawredd.

Bu Gwallter Mechain Walter Davies, y bardd yn ficer yma hefyd. Gweler tudalen 97.

Rhwng 1905 a 1918 bu William Morgan neu 'Penfro' yn rheithor yn eglwys Manafon. Fe'i adnabyddir yn bennaf am drosi'r emyn adnabyddus am y cynhaeaf i'r Gymraeg:

Nyni sy'n troi y meysydd,
Nyni sy'n hau yr had,
Ond Duw sy'n rhoi y cynnydd –
Gwres a chawodydd mad.

Ond y bardd mwyaf i weinidogaethu yma oedd chwipiwr Eingl arall, Ronald Stuart Thomas (1913-2000), a ddaeth i Fanafon i weithio fel rheithor yn 1942 ac aros yno tan 1954. Yma y dysgodd siarad Cymraeg, ac yma y cyfansoddodd ei gerddi chwerw i fywyd gwledig a oedd mor ddieithr iddo ar y pryd. Yma hefyd yng nghanol y pedwardegau y lluniodd ei bortreadau cignoeth o Iago Prytherch:

Remember him, then, for he, too, is
a winner of wars,
Enduring like a tree under the
curious stars.

Ar ddiwedd ei yrfa fel bardd cyhoeddwyd cerdd o'i waith o dan y teitl *Manafon* yn y gyfrol *Residues* sy'n ailddehongliad diddorol o'r hyn a olygai'r pentref a Chymru iddo. Mae'n ei hagor â'r llinellau cwestiynol:

Have I had to wait
all this time to discover
its meaning – that rectory,
mahogany of a piano
the light played on?

Yn y gerdd, breuddwyd i'r ddynes a baratoai dân iddo ar ôl ei grwydradau ymhlith ei blwyfolion oedd *'the unrecognised conflict between two nations'*, ond tyfodd yn hunllef i'r bardd. Credai ei bod hi'n bosib cusanu troed enfys ei Gymru ddelfrydol o. Ond ar ôl dod i Fanafon gwelodd Gymru oedd â'i hiaith a'i hetifeddiaeth ar werth gan fod y Gymraeg wedi colli'i thir yno. Mae'i ddisgrifiad o'r ffyrdd yn dod ag estroniaid i Gymru yn nodweddiadol iawn o ddawn ddychanol R.S. Thomas: *'their highways sluices for their neighbours' discharge'.*

Ers hynny, sylweddolodd mai croesffordd lle nad oes dewis arni ydyw'r Gymru go iawn. Mae'n dal i farchogaeth march ei hunllef i ddychwelyd:

> *here among countrywomen*
> *whose welcome is warm at the*
> > *grave's edge.*
> *It is a different truth, a different*
> *love I have come to, but one*
> *I share with that afflicted remnant*
> *as we go down, inalienable to our*
> > *defeat.*

Symudwn yn awr i'r Felin Newydd. Ar yr arwydd seisnigwyd Felin Newydd yn *New Mills*; mae'r ddau enw'n tystio dylanwad y diwydiant gwlân ar lannau afon Rhiw. Yma mae addoldai hen a newydd â chysylltiadau â chrefyddau go wahanol. Ar ochr dde'r ffordd sy'n arwain tua Llanfair Caereinion sefydlodd y Tad Barnabas, a oedd yn Gymro Cymraeg, Fynachdy Sant Elias, eglwys Uniongred Roegaidd yn 1974. Mae'r capel gyferbyn yn perthyn i'r traddodiad Methodistaidd mwy cyfarwydd, a chodwyd hwn yn 1822 yn fuan wedi i'r Methodistiaid adael yr Eglwys a ffurfio'u henwad eu hunain. Yn wahanol i Aberriw a Thregynon mae pentref Felin Newydd wedi cadw ei hen naws werinol. Cyn dyfodiad y rheilffordd i Lanfair Caereinion, arferai porthmyn a chludwyr ddefnyddio'r ffordd hon, ac roedd dau dafarn yma i'w disychedu.

O Lanwyddelan i Gefn Coch

Mae'n werth troi oddi ar y ffordd i Dregynon a dilyn afon Rhiw, yna mynd heibio eglwys Llanwyddelan ac ymlaen i Lanllugan. Ceir hanes am y sant Beuno'n atgyfodi Llorcan Wyddel, sef y sant a gysylltir â Llanllugan. Does neb yn siŵr ai'r un sant a sefydlodd Llanwyddelan, neu os oes cysylltiad o gwbl â 'gwyddel' fel mae enw'r lle yn ei awgrymu. Dim ond tri lleiandy oedd yng Nghymru ac roedd un ohonynt yn Llanllugan ar lannau afon Rhiw – er nad oes neb yn siŵr o'r union safle bellach. Roedd y lleiandy hwn o dan arolygiaeth Abaty Ystrad Fflur, ac fel y mynachlogydd eraill roedd tiroedd ynghlwm wrtho. Yn ôl traddodiad, darn o simnai goed ffermdy Gwernfyda yw'r unig ddarn o'r lleiandy i oroesi.

Ym mhentref Adfa ceir adeilad crefyddol arall sydd â chysylltiad ag un o arloeswyr mudiad y Methodistiaid Calfinaidd, sef capel Gerasim a Lewis Evan (1720-1792). Tyfodd y gwehydd hwn, a oedd yn hanu o Drefeglwys, i fod yn un o gynghorwyr teithiol y mudiad a dioddefodd yn enbyd ar ei deithiau. Fel hyn y mae Richard Bennett, hanesydd y mudiad yn cofnodi sut y cafodd ei gam-drin:

> yn sir Fôn gorfu iddo ffoi am ei einioes o gof erlidgar a'i hymlidiai er ei gystwyo gyda haiarn gwynias o'r tân. Yng Nghlynnog curwyd ef gan was gŵr bonheddig, nes yr oedd ei waed yn llifo. Ceisiwyd ei chwythu i fyny â phowdwr ar fynyddoedd Llansannan. Curwyd ef yn greulon ofnadwy gerllaw Dinbych.

Gellid ychwanegu carchariad yn Nolgellau a llawer mwy – ac yn ôl Richard Bennett, roedd yn ffodus na chafodd ei ddal gan y *Press Gang* yn ystod ei grwydradau.

Mae tafarn Cefn Coch a'r neuadd sydd ynghlwm wrtho yn atynfa poblogaidd i bobl ifainc Maldwyn ar benwythnosau, a bu'r ardal yn lle delfrydol ar gyfer gweithgareddau awyr agored fel merlota a cherdded. Yn hytrach na dychwelyd i Dregynon neu Lanfair Caereinion, mae'n bosib teithio ymlaen drwy Adfa a Chefn Coch ar hyd cefnffordd arall sy'n dangos gogoniant tirwedd Maldwyn a mynd i lawr rhiwiau serth Cwm Llwyd i Garno.

Tregynon, Gregynog a Betws Cedewain

Rhed afon Bechan drwy Dregynon ac mae enwau pentref a phlasty Gregynog wedi tyfu'n un ar dafodau llawer. Yn eglwys Sant Cynon ceir sawl cofeb i deulu'r Blaenau (Blayney) a fu'n byw yng Nghregynog o'r bymthegfed ganrif tan 1795, pan gafodd ei drosglwyddo i deulu Hanbury Tracy. Dyddia safle'r eglwys yn ôl i'r unfed ganrif ar ddeg – canrif union cyn y cyfeiriad cyntaf at Gregynog. Mae'n bwysig cofio hefyd bod y Methodistiaid wedi bod yn brysur yn Nhregynon yn ystod diwedd y ddeunawfed ganrif. Mae addoldy'r pentref ymhlith yr hanner dwsin o gapeli cyntaf a godwyd ganddynt ym Maldwyn, a hynny yn 1797.

Heb fod nepell o'r eglwys mae'r hen ysgol gynradd sy'n enghraifft o adeilad concrid; yn wir, ceir tua hanner dwsin o dai o'r fath yn yr ardal. Gwelir dau ohonynt ar y troad o Dregynon i gyfeiriad Betws Cedewain; codwyd y rhain rhwng 1870 a 1880, ac mae'n debyg eu bod ymhlith yr adeiladau concrid cyntaf yn y byd. Maent yn gysylltiedig â Gregynog gan fod y pedwerydd Arglwydd Sudeley, y perchennog ar y pryd, yn arloeswr yn y defnydd o'r deunydd graeanog hwn. Gwnaeth yr un peth yng Nghregynog ei hun, gan mai cragen ddu a gwyn o goncrid a roddodd wedd ffug-Jacobeaidd i'r plasty a adeiladwyd yn ystod y bedwaredd ganrif ar bymtheg. Gwerthodd y stad i'r Arglwydd Joicey yn 1894.

Erbyn heddiw mae'n ganolfan cyrsiau preswyl dan nawdd Prifysgol Cymru ac yn gartref i Ganolfan Iaith sydd dan nawdd Cyngor Sir Powys. Ceir dwy ystafell drawiadol yno o hyd. Mae ystafell Blaenau fostfawr yn frith o gerfiadau derw o arfbeisiau'r teuluoedd a oedd, yn honedig, yn gysylltiedig â theulu'r Blaenau. Dyddia'r rhain yn ôl i ganol yr ail ganrif ar bymtheg. Mae'r ystafell arall, y neuadd gerdd, yn fwy diweddar ac yn ein hatgoffa o gysylltiad teulu arall â Gregynog.

Erbyn ail ddegawd yr ugeinfed ganrif prynodd ŵyr ac wyresau David Davies, Llandinam y plasty a'i ddatblygu fel lle i noddi'r celfyddydau. Hwythau a sefydlodd y wasg breifat enwog a argraffodd dros ddeugain o lyfrau cain rhwng 1922 a 1940 – a saith o'r rheiny'n llyfrau Cymraeg. Bu sawl arlunydd pwysig fel Blair Hughes-Stanton, yn darlunio gwaith y wasg. Mae Gwasg Gregynog yn dal i gynhyrchu llyfrau cain, fel y casgliad diweddar o emynau Ann Griffiths a wnaethpwyd dan gyfarwyddyd David Vickers, Cymro Cymraeg o Gwm Tawe.

Roedd Mary a Gwendoline Davies yn caru cerddoriaeth hefyd. Syr Henry Walford Davies fu'n cyfarwyddo'r chwiorydd pan osodwyd yr organ hardd yn yr Ystafell Gerdd, ac ar ôl 1933 cynhaliwyd cyngherddau mawreddog yno. Bu cerddorion fel Gustaf Holst yn arwain cerddorion a gyflwynai ei weithiau yntau yno. Yn wir, ffurfiodd aelodau o staff y plasty gôr Gregynog. Roedd hi'n arferiad ganddynt i hysbysebu am arddwr newydd a oedd hefyd yn meddu ar lais tenor! Y digwyddiadau hyn a ragflaenodd y gwyliau cerdd enwog ym Mhafiliwn y Drenewydd a sefydlwyd gan Walford Davies a'r chwiorydd. Atgyfodwyd yr arfer o gynnal gŵyl gerdd flynyddol yng Nghregynog yn ddiweddar.

Yn ystod eu cyfnod yn y plas, crynhodd y chwiorydd y casgliad mwyaf trawiadol o ddarluniau yng Nghymru a oedd yn cynnwys gweithiau gan Turner, Cézanne, Millet, Richard Wilson a Renoir. Gadawodd Gwendoline Davies y casgliad i Amgueddfa Genedlaethol Cymru ar ôl ei marwolaeth yn 1951, a chyflwynwyd Plas Gregynog yn rhodd i Brifysgol Cymru. Yn rhinwedd ei swyddogaeth fel canolfan cynhaliwyd cynadleddau o bwys yn y man hyfryd hwn. Bu'r Dr Glyn Tegai Hughes yr ysgolhaig yn Warden Gregynog, ac fe'i dilynwyd yn y swydd gan y beirniad llenyddol a'r bardd, y diweddar R. Gerallt Jones.

Bu Dora Herbert Jones yn ysgrifennydd y Wasg am flynyddoedd a bu'n byw yn Nhregynon tan ei marwolaeth yn 1974.

Mae'n amhosib gadael Tregynon heb gyfeirio at Thomas Olivers (1725-1799) y pregethwr Methodist teithiol, y pamffletîr crefyddol a'r emynydd. Yn 1979 cyhoeddodd Gwasg Gregynog gopi cain o'i hunangofiant, am iddo gael ei eni mewn bwthyn – nad yw'n weladwy bellach – o'r enw Rhos Cottage, sydd rhyw filltir o'r plasty. Mae'r ffaith fod amheuaeth a oedd yn siarad Cymraeg yn ystod ei fagwraeth yn Nhregynon a phentref Ffordun ger y Trallwng yn dangos pa mor Seisnigaidd oedd y rhan hon o Faldwyn – hyd yn oed yn ystod y ddeunawfed ganrif. Yr emyn enwocaf iddo gyfansoddi oedd: *The God of Abram praise*.

Betws Cedewain ac Aberbechan

Mae pentref Betws, gyda'i galon o dai du a gwyn, ei eglwys (Beuno eto), ei dafarn a'i bont yn nodweddiadol o bentrefi hardd y rhan hon o Faldwyn. Yn anffodus, mae corff y pentref, fel amryw un arall yn gwasgaru yma ac acw'n flêr wrth i ragor o dai newydd gael eu codi. Erbyn hyn, mae tai wedi eu hadeiladu ar y cae sydd wrth yr afon, ond tan yn ddiweddar roedd yn beth cyffredin iawn i weld sgwariau o glai ar y cae, oherwydd bu'r ardal hon, fel dyffryn Aeron yng Ngheredigion yn gyrchfan i chwaraewyr coits. Rhoddid peg yn y clai, a champ y chwaraewyr oedd taflu'r bedol fel ei bod hi'n bachu'r peg. Claddwyd y gêm, fel llawer o arferion gwledig eraill, dan frics y trefoli sydd ar gerdded ym mhobman.

Fel yn achos Tregynon, mae'n wir nodi fod y parthau hyn wedi seisnigo tipyn – hyd yn oed yn ystod y ddeunawfed ganrif. Nid oedd agwedd ddi-hid y ficeriaid a'r ciwradiaid a gyflogid i ofalu am yr ardal yn helpu'r sefyllfa, ond mae un frawddeg mewn adroddiad i'r esgobion ynghylch agwedd plwyfolion Betws tuag at y Gymraeg yn, codi'r galon: *'The vicar promises to do more Duty in Welsh it being agreeable to the Majority of his parishioners'.*

Ond erbyn 1847 – cyfnod adroddiad y Llyfrau Gleision, mae'r frawddeg *'all spoke English as their mother tongue'* yn crynhoi mor llwyr y digwyddodd y seisnigo.

Ceir ffordd hyfryd sy'n cysylltu Aberriw a Betws Cedewain; mae honno'n mynd heibio'r capel cyntaf a gododd y Wesleaid ym Maldwyn, sef Pentref Llifior. Pregethodd John Wesley ar deithiau ym Maldwyn yn y 1760au; bu Thomas Olivers yn gydymaith iddo ar ei deithiau yn Lloegr a galwai Wesley ei was yn *'dear Tommy'* a *'rough stick of wood'.* Buont yn gyfrifol am sefydlu'r achos parhaol cyntaf ym Mhentre Llifior yn 1798, ac mae'n debyg iddo gostio £218 i'w adeiladu.

Ffordd y pontydd a'r ffin

Â'r ffordd arall sy'n gadael Betws Cedewain i gyfeiriad Aberbechan a'r Drenewydd. Mae ffermdy Pont â'i gae o fefus sydd ar agor i'r cyhoedd i bigo a phrynu yn yr haf yn ein hatgoffa fod hinsawdd hafaidd siroedd fel Amwythig a Henffordd yn croesi'r ffin i Faldwyn yma wrth i ni nesu at ddyffryn Hafren. Ond ymhen hanner milltir mae capel Methodist Aberbechan (a sefydlwyd yn 1889) ar fin y ffordd yn olygfa gyfarwydd mewn rhannau helaeth o'r Gymru Gymraeg. Dyma sut y disgrifia'r hanesydd Methodistaidd Gomer M. Roberts y rheswm fod cynifer ohonynt yn y sir yn *Atlas Hanesyddol Maldwyn:*

Aeth mudiad yr Ysgol Sul o nerth i nerth yn nechrau'r bedwaredd ganrif ar bymtheg ac arweiniodd hyn yn y pen draw at adeiladu capeli bach ac achosion newydd. Hyn sy'n bennaf gyfrifol fod nifer fawr o gapeli a chynulleidfaoedd bach gan y Methodistiaid yn y sir.

Ymhen chwarter milltir arall mae plasty Aberbechan yn ein rhoi yn blwmp ym myd Seisnig y ceffylau neidio. Bu'r lle'n gartref i Rowland Fernyhough a enwogodd ei hun yn y gamp yn ôl yn y 1970au a'r 80au. Pe baech yn mynd yn ôl dwy neu dair canrif, yn ogystal â sŵn carnau ceffylau, mae'n debyg y buasech yn clywed sŵn clecian cynghanedd, pan arferai beirdd yr uchelwyr alw yno. Mae tair pont i'w chroesi o fewn cwta ganllath i'w gilydd; mae'r gyntaf yn croesi afon Bechan, yr ail yn croesi'r gamlas a'r olaf yn ein cludo dros afon Hafren.

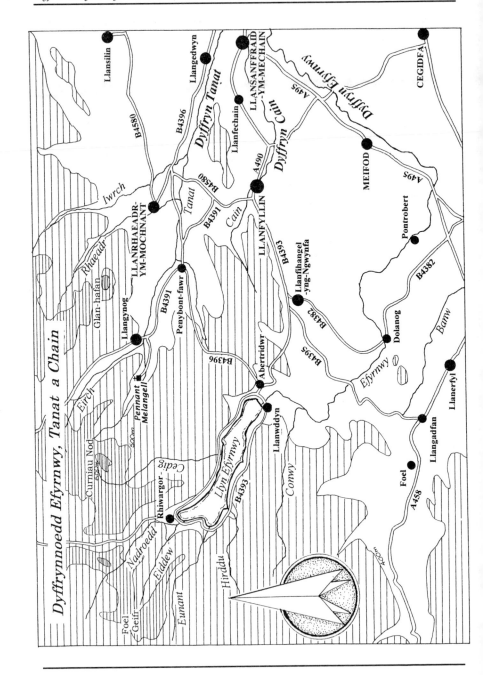

Dyffryn Tanat

Mae dilyn hynt afon Tanat o'r gororau yng Ngharreghwfa (Abertanat gynt) ger Llanymynech, lle mae'n ymuno ag afon Efyrnwy, yn ein dwyn o wastadeddau Clawdd Offa hyd ochrau de-ddwyreiniol mynydd-dir y Berwyn, ac yma gwelir tarddiad afonydd Ceiriog, Efyrnwy a Banw yn ogystal.

Camlas, lein a ffin

Mae pentref Llanymynech ag un troed yng Nghymru a'r llall yn Lloegr. Yn wir, yn un o dafarnau Llanymynech rheda'r ffin drwy ganol yr adeilad, ac mae'n bosib i chi archebu peint yn Lloegr a dweud 'iechyd da . . .' ac yn y blaen a'i yfed yng Nghymru!

Ar y cwrs golff lleol gallwch daro'r bêl o'r tî yng Nghymru i'r grîn yn Lloegr. Ond gyrrodd y gamp Phil Woosnam, sy'n hanu o'r pentref, yn llawer pellach na Lloegr.

Yn yr un modd â Chefn Carnedd, Llandinam a Chlywedog mae Llanymynech yn cael ei gyfrif yn un o'r llefydd lle gallai Caradog fod wedi gwneud ei safiad dewr olaf cyn iddo gael ei gludo i Rufain. Serch hynny, mae mwy o sicrwydd i'r Rhufeiniaid gloddio am gopr ac arian yma, ond yn ddiweddarach – rhwng 1750 a 1910, cloddio'r galchfaen yn ogystal â'r gamlas i gludo'r calch a roddodd waith i filoedd o weithwyr. Yn 1855, er enghraifft, cloddiwyd tua 60,000 tunnell o galch yma. Roedd odynau calch wedi'u lleoli yn ymyl y gamlas, ac yno llosgid y galchfaen cyn iddo gael ei lwytho i gychod camlas ugain tunnell a gâi eu tynnu gan un ceffyl.

Roedd ei safle canolog yn golygu bod gorsaf reilffyrdd brysur yma hefyd. Yn 1920 cyflogid tua ugain o weithwyr yno i ddelio â thua ugain o drenau'n ddyddiol. Cysylltai'r brif lein y lle â Chroesoswallt i'r gogledd a'r Trallwng i'r de, drwodd i arfordir Bae Ceredigion yn y gorllewin. Roedd dwy lein leol arall yn cysylltu'r orsaf â dyffrynnoedd Tanat a Chain ar un llaw a chanoldir Lloegr ar y llaw arall. Yn anad yr un pentref arall, mae Llanymynech yn bentref y ffin.

Er bod afon Tanat yn croesi'r ffin i Loegr, nid yw hi'n anghofio'i Chymraeg, gan fod pentrefi ag enwau Cymraeg fel Llanyblodwel a Llynclys, Pentref'r-felin a Syswallt (sef Croesoswallt ar lafar) ar ochr Lloegr i'r Clawdd.

Bron i ganrif yn ôl roedd yr ardal yn ferw gwyllt pan agorwyd rheilffordd a gysylltai Croesoswallt a Llangynog ar hyd dyffryn Tanat ym mis Ionawr 1904. Nid dyffryn amaethyddol yn unig oedd hwn; cloddid llechi, plwm, copr, ffosffad a chalch yno ar wahanol adegau yn ei hanes. Roedd ei weithfeydd plwm ymhlith y mwyaf ym Mhrydain fel y cawn weld yn y bennod hon. Mewn gwirionedd, agorwyd y rheilffordd 19 milltir a hanner o hyd yn rhy hwyr i achub y diwydiannau hyn. Hon oedd y rheilffordd ysgafn gyntaf yng Nghymru, os nad ym Mhrydain, ar gyfer cludo teithwyr. Ar y cychwyn costiai geiniog y filltir i deithiwr trydydd dosbarth, ac roedd digon o orsafoedd bychain ar hyd-ddi i ollwng a chodi teithwyr a nwyddau. Dyma'u henwau: Croesoswallt, Porth-y-waen, Blodwell a Glanyrafon, ar ochr Lloegr i'r ffin, a Phentre'r-felin, Llanrhaeadr-ym-Mochnant, Pedair Ffordd, Pen-y-bont-fawr a Llangynog ar ochr Cymru. Caewyd y lein yn derfynol yn 1960.

Ger y fan ble mae'r afon Cynllaith yn arllwys i'r afon Tanat y lleolir pentref Llansilin, a fu'n gartref i'r bardd Huw Morys neu Eos Ceiriog (1622-1709), a oedd yn un o feirdd gorau Cymru'r ail ganrif ar bymtheg. Llaciodd yntau fesurau traddodiadol y canu caeth gan roi sglein ar y canu cynganeddol rhydd drwy gyfansoddi carolau swynol a cherddi serch angerddol, er gwaetha'r ffaith iddo fod yn ddibriod ei hun yn ôl pob tystiolaeth:

Fy ngwenithen lawen liwus
O ran dy ddäed rwy'n dy ddewis;
Nid am ddiwrnod hynod heini
Y dymunwn gael dy gwmni,
Nid am fis neu ddau, neu flwyddyn,
Trwy gymhendod ar wan dafod
'Rwy'n dy ofyn;
Tra fo feinioes heb derfynu
Mynnwn beunydd
Ddifai beunydd,
Dy feddiannu.

Efallai mai oherwydd ei fod yn ddibriod y gallai ganu mor angerddol! Roedd yn warden eglwys Llansilin yng nghyfnod cynhyrfus y Rhyfel Cartref, a bu'n dyst i chwalu'r eglwys gan wŷr Cromwell. Eglwyswr a Brenhinwr pybyr oedd Huw Morys – cyfansoddodd gerddi a feirniadai'r Piwritaniaid yn llym. Er ei fod yn enedigol o blwyf Llangollen, yn yr eglwys hon y claddwyd ef.

Amhosib fyddai gadael plwyf Llansilin heb gyfeirio at Sycharth. Cyfeiriwyd eisoes at Owain Glyndŵr a'i gysylltiad â Maldwyn, ac fel hyn y disgrifiodd yr Athro Rees Davies lys Glyndŵr yn Sycharth yn ei lyfr a gyhoeddwyd yn ddiweddar am y tywysog:

Ni allai unrhyw arwerthwr tai heddiw ragori ar ddisgrifiad Iolo (sef Iolo Goch) o'r tŷ, nac, yn wir, y darlun delfrydol mae'n ei gynnig! 'Tŷ pren glân mewn top bryn glas' oedd Sycharth, wedi ei amgylchynu â ffos, a phont yn mynd drosti at ei borth. O fewn ei libart roedd cyfres o ystafelloedd, rhai yn eang gyhoeddus ac eraill yn breifat glyd; ar ei do roedd y teils diweddaraf ac o'i ganol codai simnai 'ni fagai fwg'. Ond nid dyna'r cyfan. O gwmpas y plasty moethus hwn roedd popeth ar gael at angen dyn a'i deulu: colomendy, llyn pysgod lle gellid dal penhwyaid *(pike)* a gwyniaid. Perllan, gwinllan, melin a pharc ceirw, ac ar ben hynny ffarm lewyrchus lle codid cnydau a lle gwelid gweision, meirch ac erydr yn gweithio'n ddiwyd. Ac i goroni popeth, ac i lonni calon bardd fel Iolo Goch, roedd yno groeso cynnes a digonedd o gwrw da Amwythig.

Dim ond tomen gron sy'n weladwy yno bellach.

Llanrhaeadr-ym-Mochnant a Phen-y-bont-fawr

Pentref arall ar y cyrion, ar y ffin rhwng Sir Ddinbych a Maldwyn y tro hwn, yw Llanrhaeadr-ym-Mochnant. Cyfeirir at Llanrhaeadr ar yr un anadl â'r Esgob William Morgan (1545-1604). Symudodd i weithio yno fel ficer yn 1578 ac yno cyfarfu â'i wraig, Catherine. Ar yr olwg gyntaf gellir dychmygu y buasai Llanrhaeadr yn lle heddychlon a delfrydol ar gyfer gwaith mawr ei fywyd. Nid felly y bu hi. Fel y dywed y *Cydymaith i*

Lenyddiaeth Cymru: 'gwaith torcalonnus o anodd i ŵr a oedd ymhell o lyfrgelloedd, yn brin o arian ac ynghanol gelynion.' Cyfeiriad a geir yn rhan olaf y dyfyniad at y cweryla a fu rhyngddo ac Ifan Maredudd, Lloran Uchaf. Cafodd William Morgan ei apwyntio i wasanaethu plwyfi Llanfyllin, Pennant Melangell a'r Trallwng. Ymhlith y rhai a'i helpodd yn ei holl ymdrechion oedd David Powel, yr hanesydd a'r dyneiddiwr a ysgrifennodd yr *Historie of Cambria now called Wales* (1584). Ond caiff William Morgan ei gofio, nid am gyfreithia ond am gyfieithu'r Hen Destament a'r Testament Newydd, a hynny mewn iaith ddealladwy a oedd yn rhagori ar ymdrechion mwy trwsgl William Salesbury yn 1567. Anogwyd ef gan yr Archesgob Whitgift i fynd i Lundain i gwblhau'r gwaith. Dyma fel y mae'r *Cydymaith i Lenyddiaeth Cymru* yn crisialu'r cyfan:

Yr oedd Beibl 1588 yr un mor ddylanwadol i gadw'r cysyniad o Gymru annibynnol yn fyw ag ydoedd trechu'r Armada (1588) i gynnal annibyniaeth Lloegr.

Roedd eglwys y plwyf yn Llanrhaeadr yn cael ei chyfrif yn Fam Eglwys neu glas yn oes y saint cynnar. Roedd Dogfan, y sant y cysylltir ei enw â'r eglwys, a'i frawd Cynog yn bwysig fel cenhadon yn nyffryn Tanat, a byddai eglwysi'n cael eu henwi ar eu holau. Roedd bywyd yn y clas yn fywyd caled, difoethau. Mae Llanrhaeadr heddiw, fodd bynnag, yn meddu ar ragor o gyfleusterau fel siopau, gwestai a thafarnau na'r rhan fwyaf o bentrefi'r sir. Am dros ddwy ganrif a hanner bu'n gyrchfan i'r llu o dwristiaid sy'n ymweld

â Phistyll Rhaeadr sydd i'w ganfod bedair milltir i fyny cwm afon Rhaeadr. Mae'n un o saith rhyfeddod Cymru yn ôl hanes, ac mae'r cwymp sy'n 240 troedfedd o uchder, yn ddigon o sioe – yn enwedig pan fo digon o ddŵr yn yr afon.

Pen-y-bont-fawr a phen uchaf dyffryn Tanat yw rhannau mwyaf Cymraeg y dyffryn. Fel llawer o bentrefi ucheldiroedd Cymru, mae'r rhan fwyaf o adeiladau'r pentref, gan gynnwys yr eglwys a'r tri chapel Anghydffurfiol yn perthyn i'r bedwaredd ganrif ar bymtheg. Ffermydd fel Glanhafon Fawr, Cileos Isaf a fferm Pen-y-bont sy'n perthyn i gyfnod cynharach yr unfed ganrif ar bymtheg. Daeth yn fwy o ganolfan i ardal helaethach yn nechrau'r saithdegau. Yr adeg honno yr agorwyd ysgol a chanolfan gymdeithasol a ddenai ddisgyblion o bentrefi Llangynog ac ysgol Yr Eglwys yng Nghymru yn y pentref yn ogystal â phlant o ardaloedd Hirnant a Chwm-du a gaewyd yn gynharach.

Dyma'r diwylliant a gynhyrchodd Nansi Richards (1888-1979), gwraig fferm Pen-y-bont a ddaeth yn delynores o fri rhyngwladol. Ond er iddi berfformio o flaen enwogion ymhell y tu allan i ffiniau Cymru, anghofiodd hi erioed mo'r cefndir gwerinol naturiol a gafodd ei alltudio gan grefydd anghydffurfiol y bedwaredd ganrif ar bymtheg. Un tro, bu hi'n addysgu dosbarth W.E.A. ym Mhenybont-fawr, ac yn ystod y sesiwn olaf dyma hi'n rhoi datganiadau ar y delyn deires. ''Stalwm', meddai, 'arferai'r telynor ofyn i arglwydd y llys am sofren . . . ' gan droi at Mr Roberts, ysgrifennydd y dosbarth a phrifathro ysgol; yntau'n rhoi papur punt iddi a hithau'n ei blethu rhwng tannau'r delyn. 'Nawr gwrandewch am sŵn y clocsiau wrth i fi ganu'r delyn.' A gwir y dywedodd – roedd clec clocsiau i'w clywed yn glir yng nghyfuniad y cyffyrddiadau rhwng bysedd y tannau a'r papur punt. Wedyn trodd at y prifathro yn llawn o'r direidi a oedd mor nodweddiadol ohoni. 'Ac roedd hi'n arferiad i'r telynor gadw'r sofren os oedd e'n plesio'i arglwydd!' Ac fe'i cadwodd!

Mab y prifathro hwnnw ydi'r Prifardd Penri Roberts, Llanidloes – enillydd y goron ym Mhrifwyl Dinbych ac un a fu'n cludo Nansi ar hyd a lled Cymru mewn Triumph Spitfire to-agored pan oedd e'n ifanc – a Nansi'n ifanc yn ei henaint! Fel hyn y cwblhaodd ei gerdd deyrnged iddi: *Angladd Nansi:*

Mae hi yma ac ym mhen draw'r
                   byd,
mae hi ym mhobman ond bedd:
sipsi ein Sadyrnau,
Melangell ein cerddoriaeth.

Gwnaeth Sefydliad y Merched arolwg o gerrig beddau eglwys Sant Thomas yn ystod y 1980au. Wrth gyfeirio at garreg fedd Robert Davies a fu farw yn 1864 yn 29 oed ceir cyfeiriad at agwedd arall o'r diwylliant gwerinol, lled-ofergoelus hwn. Honnir mai ef oedd y 'dyn hysbys' olaf ym Maldwyn a feddai'r gallu i wella'r eryrod *(shingles)*. Er mwyn bod yn gymwys i etifeddu'r grefft hyd at y nawfed genhedlaeth roedd yn rhaid i'r sawl a'i hymarferai fwyta cig eryr. Y drefn wrth wella'r claf oedd poeri ar y rhan briodol o'r corff a llafarganu rhigwm perthnasol.

Mwynfeydd a chwareli

Bu Maldwyn yn un o brif ardaloedd gweithfeydd plwm Cymru, ac mae mwynfeydd rhan uchaf dyffryn Tanat yn cyfateb ar fap y sir i'r gweithfeydd yn y de-orllewin. O ardal Llangynog cludid y plwm ar drolïau i Pool Quay ger y Trallwng; wedyn cludid y mwyn ar gychod ar afon Hafren i ddechrau ac ar y gamlas pan agorwyd honno.

Credir i blwm gael ei ddarganfod gyntaf y tu ôl i Graig Rhiwarth yng nghyfnod Oes y Pres gan fod hen ffordd o'r cyfnod – a ddaeth yn ffordd Rufeinig yn ddiweddarach – yn mynd o'r Graig drwy'r bwlch sydd gyfochrog â'r briffordd bresennol i gyfeiriad y Bala. Ceir olion 'pentref' neu breswylfa o Oes yr Haearn ar Graig Rhiwarth, ac mae'n debyg bod y cloddio wedi parhau drwy'r cyfnod hwnnw. Cafwyd olion o ddefnyddio hen ddull 'dŵr a thân' o ryddhau'r mwyn bryd hynny; golygai hyn wresogi'r graig â thân a thaflu dŵr oer arni er mwyn ei hollti. Dull cloddio brig oedd hwn wrth gwrs.

Roedd yn rhaid aros tan yr unfed ganrif ar bymtheg cyn cael y dystiolaeth nesaf o gloddio, a digwyddai hynny tua dau ganllath o ffermdy Cwm Glanhafon, lle'r oedd hen ffwrnais i doddi'r mwyn. Ond ar y cyfan, byddai'r mwyn yn cael ei doddi yn Pool Quay yn ystod yr ail ganrif ar bymtheg, a'r ddeunawfed ganrif. Yn ystod y bedwaredd ganrif ar bymtheg pan gafodd ffwrnais adlewyrchol ei darganfod y dechreuwyd puro'r mwyn ar y safle. Roedd y gwythiennau plwm yn gyfoethog iawn yn Llangynog a chloddiid 'galena', sef plwm pur, yn dalpiau enfawr yno; yn wir, hwn yw un o'r llefydd gorau yn y byd am fwyn o'r fath.

Roedd tua deg o weithfeydd plwm ym mhen uchaf dyffryn Tanat a'r cyffiniau: de Llangynog, Ochr-y-Graig i'r gogledd o Langynog, mwynfeydd Cwm Orog i'r gogledd a'r gorllewin o Graig Rhiwarth, Craig Rhiwarth ei hun, Craig-y-Mwn tua milltir i lawr o Bistyll Rhaeadr ar ochr mynydd Clogydd, Nant-y-Blaidd – gwaith anhysbys, bron yn yr un dyffryn â Chraig-y-Mwn, gwaith Bwlch Creolen, tua milltir a hanner i'r de-orllewin o Benygarnedd a'r Graig Ddu a Chlochnant yng Nghwm Hirnant. Ar droad y bedwaredd ganrif ar bymtheg a'r ugeinfed ganrif cwympodd pris plwm yn sylweddol, a doedd cloddio amdano ddim yn talu ar ôl hynny. Caewyd y mwynfeydd olaf yn 1911-12, ar wahân i gloddio am *barytes* yn 1916.

Yn ogystal â mwynfeydd, bu chwareli llechi, gwenithfaen a ffosffad yn rhan o batrwm diwydiannol dyffryn Tanat. Nid chwareli agored oeddent mewn gwirionedd, ond ceudyllau yng nghrombil y ddaear, yn debyg i geudyllau chwareli Blaenau Ffestiniog. Cyfeiriwyd at chwareli Llangynog gyntaf tua 1536 pan soniodd John Leland am lechi Llangynog yn cael eu defnyddio i doi eglwys Croesoswallt. Erbyn y 1790au roedd y llechi'n rhy ddrud i'w defnyddio yn ne Maldwyn, ond gwellodd pethau gyda dyfodiad y camlesi, a châi'r llechi eu defnyddio cyn belled â Bryste.

Cyfnod mwyaf llewyrchus y chwareli oedd dechrau'r bedwaredd ganrif ar bymtheg, ac yn 1800 gadawodd cymaint â miliwn o lechi Graig Rhiwarth yn unig. Yn niwedd yr un ganrif, tua 1880 a 1890, bu dirywiad mawr yn holl weithfeydd yr ardal. Y prif reswm am hyn oedd y gystadleuaeth o chwareli eraill yng ngogledd Cymru a oedd yn nes at yr arfordir. Roedd hi'n fwy costus i gludo llechi Llangynog i'r porthladdoedd na chwareli fel Bethesda a Chorris. Er eu bod o ansawdd da, nid oeddent mor hawdd i'w trin â llechi'r llefydd eraill a enwyd.

Rhoddodd rheilffordd newydd y dyffryn ychydig o hwb i'r diwydiant yn nechrau'r ugeinfed ganrif, a bu rhai o'r chwareli yn gweithio o bryd i'w gilydd tan 1939. Ble'n union y lleolwyd y chwareli hyn? Y bwysicaf eto oedd Craig Rhiwarth a fu'n gweithio am ganrifoedd o'r 1530au i'r 1930au. Yn 1833, ymhell cyn gosod trac tramiau ar yr inclein, ceir disgrifiad diddorol o'r llechi'n cael eu cario i lawr y mynydd i Langynog ar gar llusg a ddaliai bum cant (pwysau nid nifer) o lechi. Byddai'r gŵr a eisteddai y tu blaen iddo'n defnyddio'i draed i'w frecio! Ystyrid llechi'r chwarel braidd yn drwm ar gyfer toi tai cyffredin – ond yn ddelfrydol ar gyfer adeiladau cyhoeddus.

Lleolwyd chwarel gorllewin Llangynog tua chwe chanllath i fyny dyffryn Pennant o'r eglwys, tra roedd Craig-y-Gribin fry ar gefnen y Gribin uwchben. Roedd chwarel arall yng Nghwm Rhaeadr a nifer o chwareli ym mlaenau Cwm Maengwynedd ar ochrau dwyreiniol Cader Berwyn sydd ar lannau afon Eiarth – un o flaenafonydd y Tanat, yr agorwyd chwarel wenithfaen Lwmbar (neu *Maker's*, enw'r Sais a'i hagorodd) yn 1910. Roedd chwareli gwenithfaen eraill yn y Cyrniau yng nghanol yr hen waith plwm – gelwid hon yn Chwarel Wenithfaen y Berwyn, a chyflogai 300 o ddynion yn ei phreim. Gweithid tair chwarel ffosffad rhwng 1865 a 1884 yng nghwm Rhiwarth.

Erbyn heddiw mae'r gymdeithas ddiwydiannol hon wedi crebachu'n fawr o ran ei phoblogaeth. Mewnfudodd awduron Saesneg fel Mavis Nicholson i'r hafan hon yng nghesail y Berwyn. Dyma gartref Alison Leyland a'i theulu – Dysgwr y Flwyddyn, ac un sy'n prysur ddatblygu'n llenor Cymraeg ar ôl cipio coron Eisteddfod Powys a'r wobr gyntaf am y stori fer ym Mhrifwyl Tyddewi, 2002. Serch hynny, Robert Elis (1812-75), neu Cynddelw a rhoi iddo ei enw barddol, a anfarwolodd fynydd y Berwyn yn ei gywydd enwog. Ac yntau'n enedigol o'r ardal, bu'n weinidog gyda'r Bedyddwyr, a golygodd gasgliadau fel *Gorchestion Beirdd Cymru* a *Barddoniaeth Dafydd ap Gwilym*. Mae llinellau ei gywydd enwog yn cwmpasu oes gyfan ac yn dathlu'i heddwch a'i harddwch yn hytrach na'i chyfoeth diwydiannol:

Yn fore awn i Ferwyn,
I'w frig iach ar fore gwyn,
Yn Awst, a mynnwn eistedd
Ar y foel orau a fedd . . .
'I Ferwyn af i orwedd.
Tua'r lle bu dechre'r daith
Af yn ôl i fy nylaith.'

Ddwy filltir i'r gorllewin o Langynog, yn nes at Gyrniau Nod – tarddle'r Tanat, mae un o lefydd mwyaf hynafol a rhamantus Maldwyn gyfan – Pennant Melangell. Mae'r chwedl am Felangell yn gwarchod yr ysgyfarnog a gâi ei hela gan Frochwel, tywysog Powys, wedi'i phortreadu yn y cyfreslun neu'r ffris ar y sgrîn yn yr eglwys sy'n dyddio'n ôl i'r bymthegfed ganrif. Yma y sefydlodd Melangell ei lleiandy yn nechrau'r wythfed ganrif.

Mae'r eglwys hon yn un o'r addoldai mwyaf diddorol ym Maldwyn o safbwynt ei phensaernïaeth. Credir iddi gael ei hailadeiladu gan Rhirid Flaidd a fu farw tua 1189. Gwnaed newidiadau iddi yn ystod pob canrif yn ei hanes ers hynny. Er enghraifft, unwyd corff yr eglwys â'r gangell yn ystod y ddeuddegfed ganrif; yn ystod y bymthegfed ganrif gosodwyd delw o Felangell ar ei gorwedd (fel tywysoges), ynghyd ag eil ddeheuol ar ei chyfer – ond chwalwyd y cyfan yn ystod y ddeunawfed ganrif. Mae popeth i'r gorllewin o'r drws deheuol yn perthyn i'r ddeunawfed ganrif hefyd. Codwyd y tŵr gorllewinol ynghyd â llwyfan pren ar gyfer y gloch yn ystod yr ail ganrif ar bymtheg ac ail-luniwyd y cyfan yn 1877 gyda tho ar ffurf pyramid. Mae holl awyrgylch yr eglwys a'r fynwent, sy'n gylch Celtaidd hynafol amdani yn ychwanegu at ei hapêl. Bob tro yr ewch ar daith i Bennant Melangell, rydych yn dychwelyd yn teimlo eich bod wedi bod ar bererindod.

Dyffrynnoedd Efyrnwy a Chain

Mae dyffryn afon Efyrnwy yn tarddu yn Llanymynech, ac yn derbyn dŵr afon Cain, afon Banw a'r Tanat cyn croesi clawdd Offa ac arllwys ei holl ddyfroedd i afon Hafren yn Sir Amwythig.

Llandrinio i Deuddwr

Pentref a leolwyd ar gymer afonydd Efyrnwy a Hafren yw Llandrinio. Roedd tafarn o'r enw *Cymerau* ar y safle ar un adeg, ac yn ystod cyfnod o lifogydd unwaith boddwyd teulu'r dafarn wrth iddynt geisio croesi'r afon i *Crew Green.* Saif tair ywen i nodi'r fan sy'n ddidafarn bellach. Arferai'r ardal ddioddef yn enbyd o lifogydd cyn codi'r argae ar ddiwedd y ddeunawfed ganrif. Mae'r plwyf rhwng y ddwy afon, ac mae'r bont hardd tri bwa ar ffurf hanner cylch sy'n croesi afon Hafren yn dyddio'n ôl i 1775; hi oedd y bont gerrig cyntaf i gael ei hadeiladu rhwng tarddiad yr afon ag Amwythig. Mae Llansanffraid-ym-Mechain fel Caersws, yn bentref sy'n adnabyddus drwy Gymru am lwyddiant ei dîm pêl-droed, er mai label y noddwr, TNS, a roddir arno bellach.

Llanfechain a Gwallter a Gwerful

Roedd canolfan hen gantref Mechain yn Llys Fechain o gwmpas Domen Castell sy'n dyddio'n ôl i gyfnod y Rhufeiniaid. Gwasgarwyd y pentref o gwmpas y fynwent ddyrchafedig a'r eglwys a gysegrwyd i Sant Garmon, cenhadwr a ddaeth o Ynys Manaw yn ôl y gred amdano bellach. O safbwynt pensaernïol, hon yw'r eglwys fwyaf Normanaidd ym Maldwyn. Dywedir amdani: 'mae'r meindwr pren a'r to cochliw ei lechi ar waliau isel o gerrig yn drawiadol o Almaenaidd'. Fel y mae'r enw'n awgrymu, rydym yn nyffryn afon Cain sy'n ymuno â dyffryn Efyrnwy.

Mab enwocaf y pentref yw Walter Davies (1761-1849) – neu Gwallter Mechain – gŵr oedd â chysylltiad â nifer o ardaloedd yn Maldwyn. Cafodd beirdd gwlad a charolwyr plygain yr ardal ddylanwad mawr arno pan oedd yn ifanc, ond cwblhaodd ei addysg ffurfiol yn Neuadd Sant Alban Rhydychen, a chafodd ei ordeinio yn 1795. Apwyntiwyd Gwallter i wneud arolwg pwysig o gyflwr amaethyddiaeth yng ngogledd a de Cymru yn 1810 a 1815. Bu'n helpu Samuel Lewis i baratoi dwy gyfrol o'r *Topographical Dictionary of Wales* (1833). Roedd yn ŵr toreithiog ei gynnyrch; ysgrifennodd hanes llawer o blwyfi Maldwyn yn nghylchgronau'r Cymry yn Llundain, ac mae llawer o'i lawysgrifau a'i lythyrau at aelodau eraill o'r Hen Bersoniaid Llengar yn dal ar glawr. Bu'n ficer ym Manafon a Llanrhaeadr-ym-Mochnant ac yn olygydd cylchgronau fel *Y Gwyliedydd* (1822-38) a gweithiau beirdd fel Eos Ceiriog a Lewys Glyn Cothi. Go brin fod yr un englyn arall a all ragori ar yr un canlynol o'i eiddo am greu awyrgylch min nos:

Y nos dywyll yn distewi – caddug
    Yn cuddio Eryri,
   Yr haul yng ngwely'r heli
   A'r lloer yn ariannu'r lli.

Bu'r ardal hon yn gartref i ferch o fardd a ganai gywyddau beiddgar; ei henw oedd Gwerful Mechain (1402-1500). Does fawr o fanylion ar glawr am ei chartref ac ati, a haedda'i lle fel un o ferched mwyaf arbennig hanes y sir – a hynny mewn cyfnod pan nad oedd llawer o hawliau na pharch at ddoniau merched. Canodd gywydd i amddiffyn gwragedd.

Bu'n ymrysona â beirdd fel Ieuan Dyfi ac yn anfon cywyddau beiddgar at Ddafydd Llwyd o Fathafarn.

'Symol yw ei chrefft ar brydiau', meddai'r *Cydymaith i Lenyddiaeth Cymru* amdani. Dim mor symol â'n hagweddau ni at Gwerful a'i thebyg – sef merched a themâu nad ydynt yn ffitio i'n traddodiad bondigrybwyll!

Dyffryn Cain . . . ac Abel

Llanfyllin, tai'r gwin gannoes,
Llawen dir, lle well nid oes.
Tref wen cawn, tyrfa i'n cynnal,
Tref deg, llawer tyrfa a dâl.

Y bardd Siôn Mawddwy a gyfansoddodd y geiriau canmoliaethus hyn mewn cywydd i ofyn clogyn i'r crythor Ieuan Dulas. Mae Llanfyllin yn un o chwech o drefi marchnad Maldwyn a chafodd y fraint honno yn 1294 mewn siarter o law Llywelyn ap Gruffydd ap Gwenwynwyn. Fel mae llinell gyntaf y gerdd yn awgrymu, roedd llawer o fragdai a thafarnau ynddi, ac yn ôl un hen ddywediad roedd Llanfyllin yn llawn hen gwrw a gweddwon ifainc! Yn llawer diweddarach yn ei hanes agorwyd rheilffordd (1863-1965) a gysylltai'r dref â Chroesoswallt, sy'n tanlinellu'i phwysigrwydd fel canolfan rhanbarthol.

Yn bensaernïol, yr hyn sy'n ei gwneud yn unigryw yw bod cynifer o adeiladau wedi'u codi o frics o ansawdd da. Mae penseiri yn gofidio hefyd bod llawer ohonynt wedi'u dymchwel – megis Neuadd y Dref, a bod peintio adeiladau wedi difetha cochni cyfoethog naturiol y brics – a'r rheiny'n frics a wnaed yn y dref ei hun yn ystod y ddeunawfed ganrif. Mae'r dref fechan yn parhau i fod yn ganolfan dwristaidd ddelfrydol ar gyfer darganfod dyffrynnoedd Tanat, Efyrnwy a Chain, ac mae'n bosib mynd ar sawl taith gerdded i ymweld â llefydd fel Ffynnon Myllin a'r 'goeden unig' er mwyn cael golygfa banoramaidd o'r dref a'r dyffryn.

Bu hanes hir a therfysglyd i Gapel Pendref, lle cafodd Ann Griffiths ei thrôedigaeth. Dyma gapel hynaf yr Annibynwyr yn y sir, ac mae'n debyg iddo gael ei godi tua 1646. Roedd dadlau ffyrnig rhwng carfanau fel 'pobl Vavasor Powell' – a fu'n pregethu mewn cartrefi cefnogwyr yn y dref i ddechrau – a chynulleidfaoedd eraill a ffafriai'r Presbyteriaid yn ogystal â'r brwydro rhwng y Piwritaniaid a'r Anglicaniaid yng nghyfnod y Rhyfel Cartref. Yn wir, yn 1715, cafodd y capel ei ddinistrio gan derfysgwyr o wrthwynebwyr, cyn iddo gael ei ailadeiladu ar draul y llywodraeth.

Mae'r llyfr Cymraeg *Llanfyllin Trwy Luniau* a gyhoeddwyd ar y cyd rhwng Cymdeithas Ddinesig y dref a Chymdeithas Powysland yn 1992 yn croniclo'i hanes yn drwyadl a difyr. Dywed:

Gan mai tref ar y ffin oedd Llanfyllin, gwan oedd ei Chymreictod, a'i thraddodiad o dderbyn nawddogaeth ac arweiniad y faenol yn gryf iawn.

Ym mhen uchaf afon Cain mae plasty Bodfach, a gwir dweud y cafodd ei breswylwyr dros y canrifoedd – Kyffin, Bell Lloyd a Lomax – lawer o ddylanwad ar y dref. Symudodd Lomax i Fodfach ar yr un adeg ag yr aeth John Dugdale i stad y Llwyn yn nechrau'r 1850au; roedd y ddau ohonynt wedi gwneud eu ffortiwn mewn diwydiant yn Sir Gaerhirfryn. Serch hynny, cododd y traddodiad rhyddfrydol bobl flaenllaw fel Clement Davies (1884-1962), Aelod Seneddol a fu'n aelod dros y sir o 1929-1962. Bu'n arweinydd y Blaid Ryddfrydol am ddeuddeng mlynedd, a chafodd ei enwebu i dderbyn Gwobr Heddwch Nobel yn 1955 fel arwydd o'i gyfraniad i heddwch rhyngwladol.

Ond un adeilad cerrig a fu'n amhoblogaidd, ac sy'n parhau felly am ei fod yn gragen neu grachen wag ar fin y ffordd i mewn i'r dref o Fwlchycibau, oedd Tloty'r Dolydd. Roedd yn amhoblogaidd am fod parau priod a phlant yn cael eu gwahanu y tu mewn i'w furiau. Yn 1839 aeth tyrfa o Lanfair Caereinion i ddinistrio yr hyn a elwid yn '*Bastille* y tlawd' yn Llanfyllin ond fe'u rhwystrwyd gan lwmyn Sir Drefaldwyn.'

I'r Dolydd y daeth rhieni Ryan Davies i arolygu cartref yr henoed. Roedd Ryan yn ddeg oed ar y pryd, a chafodd tref Llanfyllin ddylanwad mawr arno. Dyma fel y disgrifia'i hen gyfaill, Rhydderch Jones y cyfnod:

Roedd Eisteddfod Powys yn Llanfyllni pan oedd Ryan yn ddeg oed. Roedd yn canu dan ddeuddeg ac o dan bymtheg, yn adrodd dan ddeuddeg a than bymtheg ac yn canu penillion, ac yn ennill yn aml. Llwyd o'r Bryn oedd yn arwain, a chan fod Ryan yn ymddangos mor

aml ar y llwyfan dywedodd, 'Mae'r hogyn Brian yma ar y llwyfan yn amlach na fi.'

Nansi Richards oedd yn cyfeilio iddo pan enillodd ar ganu penillion yn ystod ei gyfnod yn Ysgol Uwchradd Llanfyllin, bu'n canu rhan y tenor gydag Elizabeth Vaughan, a datblygodd ei dawn hithau fel soprano fyd-enwog wedi hynny.

Mae nentydd bach fel Myllon ac Alan (sy'n dod o'r gair 'halen' mae'n debyg) yn ymuno i ffurfio afon Cain. O bobtu'r dref ceir dau fwlch sy'n hardd o safbwynt eu henwau, eu hystyron a'u harddwch: Bwlch-y-ddâr (sy'n golygu bwlch y coed deri) rhwng tref Llanfyllin a Llangedwyn; pentref Bwlchycibau (sef y cibau a fwydir i foch) yn ogystal â Chwm-nant-y-meichiaid sydd rhwng Llanfyllin a Meifod (y meichiaid oedd y gweision a ofalai am foch), ac yn Stryd y Moch, Llanfyllin yr arhosodd Ann Thomas (Griffiths wedyn) gyda'i chwaer cyn iddi gael ei thröedigaeth! Cafodd un o'r nentydd sy'n ymuno â'r Cain ei henwi, gan ryw gymeriad o ysgrythurgi mae'n debyg, yn Abel!

Meifod

Ym Meifod y maent arwyddion
Arwraidd i ŵraidd Frython
Y mawrwledd, y medd, y maon . . .
Meifod wen, nid meiwyr a'i medd

Does dim prinder o ddisgrifiadau barddol i ganmol bro'r Eisteddfod eleni. Daw'r gerdd uchod o waith Cynddelw o'r ddeuddegfed ganrif – mae'n rhan o'i folawd i'r sant Tysilio, llys Mathrafal a'r ardal yn gyffredinol. Canodd beirdd anhysbys folawdau symlach fel y pennill telyn sy'n gorffen â'r geiriau:

Harddaf lle rwy'n gallu nabod
Yn y byd yw dyffryn Meifod

Dyma ardal y grŵp gwerin *Plethyn*
ac maen nhw hefyd wedi canu am
degwch y dyffryn hefyd:

O am haf fel hafau Meifod
Seidr ddoe'n troi'n siampên

I Feifod y daeth y sant Tysilio, mab
Brochwel Ysgithrog, tywysog Powys.
Sefydlodd ei glas yno yn ymyl llys ei
dad ym Mathrafal. Eglwys o goed,
gweithdai a chytiau wedi eu
hamgylchynu â phalis pren oedd clas.
Nid oedd cell ei athro, y meudwy
Gwyddfarch yn bell oddi yno ychwaith.
Mae mynwent eglwys Meifod ar ffurf
cylch, ac yn ein hatgoffa o'r clas cynnar
a'r mân adeiladau a oedd ynddo.
Cysegrwyd eglwys i'r Santes Fair yno
tua 1170.

Mathrafal

Mae afon Banw ac afon Efyrnwy yn
ymuno â'i gilydd tua milltir i'r de-
orllewin o Feifod, ger pont Einion – sef
enw arall ar afon Banw, gan amgáu tir
a elwir yn wastadedd Trafal. Gorwedd
safle hen gastell Mathrafal i'r de o'r
triongl hwn ar lannau gorllewinol afon
Banw, sydd ar ochr chwith y B4389
rhyw hanner milltir cyn iddi ymuno â'r
A495. Yn ystod y ddeuddegfed ganrif
cyfansoddodd Brydydd y Moch gerdd
sy'n clodfori Gruffudd ap Cynan ab
Owain Gwynedd; mae'n sôn am losgi
castell ym Mathrafal. Cyfeiriad ydi hwn
at y castell a flaenorodd yr un a
godwyd gan Robert Vieuxpont ar ran y
Brenin John; y castell a gipiwyd am
gyfnod byr yn 1212 gan Llywelyn Fawr
a thywysogion eraill, gan gynnwys
Gwenwynwyn. O'r drydedd ganrif ar

ddeg tyfodd Mathrafal i fod yn brif lys
tywysogion Powys.

Yn ôl rhai ysgolheigion, mae'n
bosib fod Mathrafal wedi bod yn brif lys
Powys ers cyn yr Oesoedd Canol am
iddo fod yn wrthbwynt secwlar i'r brif
eglwys ym Meifod, yn union fel y
cysylltiad rhwng Aberffraw a
Llangadwaladr yng Ngwynedd a
Dinefwr a Llandeilo Fawr yn y
Deheubarth.

Ym Mharc Mathrafal yr agorodd Syr
Charles Lloyd, Moel-y-garth, yr efail
gwaith haearn cyntaf ym Maldwyn.
Wedyn aeth yr efail haearn oddi yno ac
i ddwylo teulu enwog Dolobran. Cafodd
Charles (g.1637) a'i frawd Thomas
Lloyd (g.1640) eu herlid a'u carcharu
yn y Trallwng oherwydd eu daliadau
crefyddol. Yn 1683 aeth Thomas Lloyd
ynghyd â llawer o Grynwyr eraill o'r
ardal i Bensylvania, a dod yn ddirprwy-
reolwr i William Penn. Cyhoeddodd
bamffledi ac yn eu plith bamffled yn
dwyn y teitl *An Epistle to my Dear and
well-beloved Friends at Dolobran*
(1788).

Mab Charles – Charles arall
(g.1662) a sefydlodd yr efail haearn
newydd yn Nolobran – er mai methiant
fu honno yn y diwedd. Adeilad arall a
barodd yn llawer hirach yn Nolobran
oedd tŷ cwrdd a Chrynwyr a godwyd yn
1701. Bu John Kelsall, clerc yr efail yn
cadw ysgol yno; roedd yn
ddyddiadurwr hefyd, a cheir llawer o
hanes lleol y cyfnod ynddynt. Am 180 o
flynyddoedd doedd dim defnydd i'r hen
Dŷ Cwrdd, ond fe'i ailagorwyd yn 1957
fel addoldy i'r Cyfeillion. Aeth brawd
Charles – Sampson Lloyd (g.1664), i
weithio yn y diwydiant haearn yn
Birmingham. Ymhlith ei ddisgynyddion

roedd Charles Lloyd y banciwr (1748-1828) un o sefydlwyr banc Lloyds.

Pontrobert a Chanolfan John Hughes
Enw rhyfedd yw Pontrobert, meddech chi. Mae'n dyddio'n ôl i'r flwyddyn 1630au pan adeiladodd Robert ab Oliver ab Cynhinfa bont i groesi afon Efyrnwy ar ôl i'r hen bont gael ei chipio i ffwrdd gan lifogydd yn 1633. Roedd gan y teulu felin yn Nolfeiniog ac roedd hi'n bont a oedd o fantais i fasnach y felin. Pentref a fu'n gysylltiedig â mânddiwydiannau fel y gwaith haearn a'r diwydiant gwlân dros y canrifoedd ydoedd, er mai amaeth yw'r prif ddiwydiant o hyd. Ar wahân i'r tair efail haearn y cyfeirir atynt uchod, roedd melinau ŷd yn yr ardal, ac ailagorwyd gefail haearn Dolobran i fod yn ffatri wlân yn 1780.

Dau adeilad arall sy'n cynrychioli dau ddiwylliant cwbl wahanol yw Hen Dafarn a fu'n dafarn y porthmyn a Chanolfan John Hughes. Dyma'n cysylltiad cyntaf ag Ann Griffiths (1776-1805) yr emynyddes, oherwydd yn y capel hwn y trigai'r Parch. John Hughes (1775-1854), ei brawd ysbrydol. Aeth yn brentis i wehydd pan oedd yn 11 oed; roedd yn gynnyrch y Diwygiad Methodistaidd, ac fe gafodd dröedigaeth yn 1795; dechreuodd bregethu yn 1802. Priododd â Ruth, morwyn Dolwar Fach, ac ar wahân i gofnodi emynau Ann Griffiths oddi ar gof Ruth, cyhoeddodd tuag ugain o lyfrau ar bynciau crefyddol. Mae ei emyn *O! Anfon Di yr Ysbryd Glân* yn dal yn boblogaidd. Rhaid dyfynnu englyn teyrnged y diweddar Ronald Griffith, y Drenewydd i gyfraniad cynforwyn Dolwar Fach a gadwai emynau Ann ar gof:

Enw Ruth fo mewn aur weithian – yn hanes
Ffyddloniaid y winllan
Am roi y ddigymar Ann
Ar gof i Gymru gyfan.

Ailagorwyd y capel yn ganolfan anenwadol dros Undeb ac Adfywiad Cristnogol yn 1995 (gydag estyniad yn 1998). Mae Nia Rhosier, y ceidwad, yn croesawu ymwelwyr o bob traddodiad ac yn rhoi cipolwg iddynt ar yr adeilad 'a bywydau ysbrydol Ann Griffiths a John a Ruth Hughes'. Daw'r dyfyniad o'r llyfryn dwyieithog *Llwybr Ann Griffiths*, llwybr sy'n cyrraedd pen ei daith saith milltir, wrth y ganolfan. Ar ochr ogleddol y pentref mae gwarchodfa Coed Pendugwm, sydd yn 8 acer o goed collddail a gaiff ei gweinyddu gan Gymdeithas Bywyd Gwyllt Maldwyn.

Dolanog, Dolwar a Llanfihangel
Mae Dolanog yn nythu rhwng Allt Dolanog ac afon Efyrnwy sy'n llifo yn ei gogoniant rhaeadrog drwy'r pentref. Daw enw'r pentref o'r cyfuniad rhwng 'dôl' ac 'eog', ac yn yr hydref gellir gweld yr eogiaid yn ceisio neidio'r rhaeadr – yn aflwyddiannus yn aml – er mwyn claddu eu hwyau. Mae dwy bont, ochr yn ochr, yn croesi'r afon yma – y bont goncrid newydd a godwyd yn 1984 a'r hen bont grwca.

Ar ôl croesi, down at yr ail o'r pedwar adeilad sy'n gysylltiedig ag Ann Griffiths, sef y Capel Coffa a godwyd yn 1903. Ynddo ceir addurniadau *Art Nouveau* sy'n cynnwys cerflun o ben corbel Ann yr emynyddes ifanc a John Hughes ei chofiannydd. Mae'r cyfan yn enghreifftiau prin o fudiad Celf a

Chrefft dechrau'r ganrif ddiwethaf ar ei orau.

Er mwyn gweld y ddau adeilad arall sy'n gysylltiedig ag Ann, mae'n rhaid mynd ar hyd y ffordd gul o'r pentref i Ddolwar Fach, ei chartref gynt –a gafodd ei ailadeiladu yn ei chyfnod hi. Eglwyswr selog a bardd gwlad oedd ei thad, a phan fu farw ei mam yn 1794 daeth hi'n feistres y tŷ. Yn eu tro cafodd pob aelod o'r teulu dröedigaeth at y Methodistiaid, gydag Ann yn cael ei thröedigaeth hithau ar ôl gwrando ar Benjamin Jones, Pwllheli yn pregethu yng nghapel Pendref, Llanfyllin yn 1796. Tyfodd Dolwar Fach i fod yn un o ganolfannau addoli'r Methodistiaid.

Er mai ychydig dros 70 pennill o'i gwaith sydd ar glawr, mae geiriau fel *Wele'n sefyll rhwng y myrtwydd . . . , O! am gael ffydd i edrych . . .* , wedi bod yn hysbys i genedlaethau o Gymry Cymraeg ac yn ôl beirniaid fel Saunders Lewis, mae'r emyn *Rhyfedd, rhyfedd gan angylion . . .* yn 'un o gerddi mawreddog barddoniaeth grefyddol Ewrop'. Dywedodd A.M. Allchin am Ddolwar Fach:

> Digwyddodd rhywbeth yn y tŷ bychan hwn sy'n gwneud y lle yn gofiadwy i fwy nag un oes a mwy nag un genedl.

Ar wahân i ysgolheigion, symbylodd bywyd y ferch o Ddolwar Fach ysgrifenwyr rhyddiaith fel Rhiannon Davies-Jones i lunio'i ddyddlyfr dychmygol, *Fy Hen Lyfr Cownt* ynghyd â beirdd fel T.H. Parry-Williams ac eleni bydd Cwmni Theatr Maldwyn yn perfformio sioe gerdd newydd o'r enw *Ann*.

Man ei chladdu yn eglwys Llanfihangel-yng-Ngwynfa ydi'r lle olaf sy'n haeddu ymweliad. Eglwys a thafarn sy'n rhoi stamp hynafol ar le, ac mae hynny'n wir iawn am Lanfihangel. Y bwthyn sydd y tu ôl i'r gofeb ryfel oedd cartref Pat O'Brien (1911-1953) a fu'n arweinydd ffraeth a phoblogaidd mewn nifer o eisteddfodau a chyngherddau; fel Ann, oes gymharol fer a gafodd yntau. Deil y diwylliant eisteddfodol mewn bri yn yr ardal hon gan mai dyma lle mae Aelwyd Penllys yn cyfarfod; Aelwyd y rhoddodd y diweddar Elfed Lewis ei stamp arni pan oedd yn weinidog yn yr ardal. Mae mynd i dafarn y *Goat* fel rhoi cam yn ôl i gyfnod Pat a hanner cam i gyfnod Ann ei hun. Yn draddodiadol, yma yn Llanfihangel-yng-Ngwynfa ar yr ail Sul yn y Flwyddyn Newydd y cynhelir y Blygain Fawr.

Yn 1950 cyhoeddwyd cyfrol yn dwyn y teitl *Life in a Welsh Countryside* – cyfrol ddiddorol sy'n astudiaeth gymdeithasegol o arferion ac ardal Llanfihangel yn ystod y 1940au. Yr awdur oedd Alwyn D. Rees a aeth ymlaen i fod yn Gyfarwyddwr Adran Efrydiau Allanol, Coleg y Brifysgol, Aberystwyth a golygydd *Barn* wedi hynny. Yn ystod y 1990au bu dosbarth Cymdeithas Addysg y Gweithwyr yn gwneud astudiaeth debyg o'r ardal dan gyfarwyddyd Victoria Morgan, gan ddiweddaru astudiaeth Alwyn D. Rees hanner can mlynedd yn ddiweddarach. Mae'r grŵp wedi cyhoeddi eu llyfr, *A Welsh Countryside Revisited* eleni.

Llwydiarth, Pont Llogel a'r cyffiniau

Yn safle picnic y Fenter Goedwigaeth (cyfeirnod grid: 032155) mae pen arall Llwybr Ann Griffiths. Mae'r pentref bach sy'n hawlio dau enw wedi'i leoli ar y B4395 sy'n cysylltu Llangadfan a Llanfyllin, ac mae'r ardal â throed mewn dau blwyf hefyd – sef Llangadfan a Llanfihangel.

Er nad oes dim ar ôl o'r plasty gwreiddiol oni bai am seler o frics o'r ddeunawfed ganrif, bu Llwydiarth yn un o brif blastai Maldwyn o tua 1420, ac roedd yn gartref i'r Fychaniaid, tan iddynt uno â theulu Williams-Wynne drwy briodas. Rhwng y bymthegfed a'r unfed ganrif ar bymtheg bu beirdd fel Tudur Penllyn yn clodfori'r teulu, a bu'n stad gyfoethog am ei bod mor goediog. Roedd iddi reilffordd ei hun ar gyfer symud y coed a dorrwyd yn ogystal â rhod ddŵr a gynhyrchai drydan yng nghyfnod y Rhyfel Mawr. Prynodd y Comisiwn Coedwigaeth stad Llwydiarth yn 1946 a'i throi yn Goedwig Dyfnant; o ganlyniad, daeth y Comisiwn yn un o brif gyflogwyr yr ardal. Ymestynna coedwig Dyfnant dros 6,000 acer ac mae dros 40 milltir o ffyrdd ynddi – sy'n addas iawn ar gyfer ralïau ceir.

Arferid meddwl fod Beddau'r Cewri ar Allt Boeth yn feddau cewri go iawn tan i archeolegwyr sylweddoli mai cwningaroedd enfawr oedd yno, oherwydd yn yr unfed ganrif ar bymtheg roedd magu a masnachu cwningod yn ddiwydiant eithaf ffyniannus!

Syr Watkyn a dalodd am adeiladu Eglwys y Santes Fair yn 1854 yn ogystal â neuadd y pentref yn y 1920au. Yn 1874 yr adeiladwyd Siloh, capel y Presbyteriaid ar safle capel cynharach, a chaewyd capel y Bedyddwyr yn y 1930au. Mae fferm Caermynach yn ein hatgoffa bod

mynaich Sistersaidd Ystrad Marchell yn ffermwyr defaid a bod 'capeli' ar eu cyfer mewn ardaloedd pellennig fel Llwydiarth.

Pam Pont Llogel? Yn ôl Syr Ifor Willams yr enw llawn oedd 'llogail'. Daw elfen gyntaf y gair – sef 'llog' o'r Lladin *locus* – sy'n golygu 'lle', a'r ail elfen, sef 'ail' o eilio neu blethu gwiail i wneud ochr adeilad 'a chewch *llogail*, am bared neu ochr adeilad' meddai Syr Ifor.

Llyn Llanwddyn

Cronfa yw hon sy'n dal 13 miliwn galwyn o ddŵr a gymer 48 awr ar ei daith i ddisychedu trigolion Lerpwl, 70 milltir i ffwrdd. Llanwyd y llyn yn 1888 wedi i fil o weithwyr lafurio am saith mlynedd. Lladdwyd 10, a bu farw 37 wrth gyflawni'r dasg. Hwn oedd yr argae cerrig cyntaf i gael ei godi ym Mhrydain, a hon oedd y gronfa artiffisial fwyaf yn Ewrop ar y pryd. Boddwyd eglwys, dau gapel, deg ffarm ac yn agos i ddeugain o dai eraill. Adleoliwyd y trigolion mewn pentref newydd ar ochr isaf yr argae, gan gynnwys Eglwys Sant Wddyn a Chapel Methodist sy'n cartrefu Canolfan Wybodaeth y Gymdeithas Gwarchod Adar bellach. Codwyd ysgol a chanolfan gymdeithasol newydd tua milltir islaw'r gronfa yn 1950. Bellach mae'n atyniad twristaidd, yn warchodfa natur ac yn un o gyrsiau rhedeg hanner marathon mwyaf enwog y wlad.

Symbylodd y weithred o foddi hen bentref Llanwddyn feirdd a llenorion. Enillodd John Evans, Llanegryn y gadair ym Mhrifwyl Ystradgynlais yn 1954 am ei awdl *Yr Argae* sy'n cychwyn â'r englynion canlynol:

Mur y muriau ym Merwyn – ar uchaf
   Faes Brochwel a Bleddyn:
   Cloes gwytnwch a dycnwch dyn
   Lonyddwch Hen Lanwddyn.

Llanwddyn yn llyn heddiw – dinodded
   Ei anheddau chwilfriw;
   Tan genlli tonnog unlliw
   Allorau bro'n y llawr briw.

Yn rhyfedd iawn nid Cymro, ond Almaenwr, a hynny yn ddiweddar, a roes y disgrifiad mwyaf ysgytwol a dychmygus o foddi'r gymdeithas gyfan.Yn y gyfrol *Austerlitz* (2001) mae'r awdur Almaenig W.G. Sebald yn sôn am fachgen – Jacques Austerlitz – sy'n cael ei anfon i fyw gyda gweinidog Methodist a'i wraig yn y Bala yng nghyfnod yr Ail Ryfel Byd. Yn ôl yr hanes roedd y gweinidog yn enedigol o Lanwddyn, ac wrth ddychwelyd o daith bregethu mae'n rhoi disgrifiad i'r bachgen o'r gymdeithas cyn dyddiau'r gronfa. Yn ei wely y noson honno mae yntau'n dychmygu bod y cymeriadau'n dal yn fyw o dan y dŵr. Troswyd y darn o'r Almaeneg i'r Saesneg yn y flwyddyn 2001, ond cafodd Sebald yr awdur ei ladd mewn damwain car yn fuan wedyn. Dyma drosiad Cymraeg o ddarn byr ohoni – darn sy'n farwnad i'r foddfa fawr gyntaf yng Nghymru:

   . . . dychmygais y lleill i gyd – ei rieni, ei frodyr a'i chwiorydd, ei berthnasau, eu cymdogion nhw a'r holl bentrefwyr eraill yn dal yno yn y dyfnderoedd yn eistedd yn eu tai ac yn cerdded ar y ffordd, ond yn methu â siarad, a'u llygaid yn llydan agored. Roedd a wnelo'r syniad hwn o fyd-dan-y-dŵr trigolion Llanwddyn â'r albwm lluniau a ddangosodd Elias i mi ar ôl dychwelyd y noson honno; ynddo roedd sawl ffotograff o'r fangre a foddwyd. Gan nad oedd lluniau eraill yn y Mans, troais ei dudalennau dro ar ôl tro. Daeth y bobl a edrychai allan ohonynt – y gof yn ei ffedog ledr, tad Elias a gadwai Swyddfa'r Post, y bugail a yrrai'i ddefaid ar hyd ffordd y pentref ac yn anad neb, y ferch a eisteddai ar gadair yn yr ardd â chi bach ar ei chôl – mor gyfarwydd i mi â phe bawn yn cyd-fyw â nhw yng ngwaelodion y llyn. Cyn cysgu yn fy stafell wely oer, teimlwn fel pe bawn innau hefyd wedi ymsuddo i'r dyfroedd tywyll hynny, ac fel trueiniaid Llanwddyn roedd yn rhaid i mi gadw fy llygaid ar agor led y pen er mwyn dal pelydryn gwan o'r golau a oedd mor bell fry, a chael cip ar y tŵr cerrig a safai mor ofnadwy o unig ar y lan goediog. Weithiau roeddwn i'n dychmygu hyd yn oed fy mod wedi gweld un neu ddau o'r cymeriadau o'r lluniau yn yr albwm yn cerdded i lawr y ffordd yn y Bala, neu allan yn y caeau, yn enwedig ganol dydd ar ddyddiau poeth o haf, pan nad oedd neb o gwmpas a'r awyr yn crynu'n desog.

Dyffryn Banw

Y lein, y ceffyl gwyn a'r castell

Y tro hwn dilynwn reilffordd a nant cyn cyrraedd dyffryn Banw – y rheilffordd gul sy'n cysylltu'r Trallwng a Llanfair Caereinion a nant Sylfaen. Cafodd y lein ei hagor yn wreiddiol ar gyfer cludo nwyddau a theithwyr yn 1903. Caewyd hi i deithwyr yn 1931 ac yn gyfan gwbl yn 1956, ond fe'i hailagorwyd bob yn dipyn fel lein bleser ar gyfer teithwyr ar ôl 1964. Bellach mae'n un o brif atyniadau twristaidd yr ardal, ac yn cludo teithwyr rhwng Llanfair Caereinion a gorsaf y *Raven* sydd ar gyrion y Trallwng. Tra oedd hi yn ei gogoniant ar ddechrau'r ugeinfed ganrif âi trwy ganol tre'r Trallwng er mwyn cysylltu â lein y Cambrian. Am fanylion ynghylch y daith bleserus hon dylid cysylltu â'r orsaf yn Llanfair Caereinion. Yn sicr, hwn yw'r dull gorau o fwynhau'r ardal yn ystod misoedd yr haf gan fod y ffordd – yr A458 – yn eithriadol o brysur.

Hon yw'r ffordd sy'n cysylltu Canoldir Lloegr â'r Bermo a thraethau eraill ym Meirionnydd. Ond mynd am Loegr a Bosworth a wnâi Harri Tudur pan dreuliodd noson yn Nolarddun ym mis Awst 1485. Nid yw'r hen dŷ i'w weld bellach yn y pant ar ôl troi ar y chwith i gyfeiriad Castell Caereinion. Mae'r hanesion a'r chwedlau sydd ynghlwm wrth y digwyddiad yn parhau i fod yn fyw ar gof gwlad – yn enwedig yr hanes amdano'n prynu ceffyl gwyn yno.

Ble mae'r castell yng Nghastell Caereinion? Yn y fynwent yw'r ateb syml, lle gwelir twmpath o weddillion castell mwnt a beili a elwir yn 'Twmpath Garmon'; mae'n debyg i eglwys Sant Garmon gael ei hadeiladu y tu mewn i'r beili yn ystod y bymthegfed ganrif. Dim ond dwy waith y caiff y castell ei grybwyll yn yr hen groniclau. Fe'i codwyd yn 1156 gan Fadog ap Maredudd, a chafodd ei nai Owain Cyfeiliog ei yrru oddi yno yn 1160. Pwy oedd Garmon felly? Mae'n anos ateb y cwestiwn hwn gan fod rhai haneswyr o'r farn bellach fod Nennius yn ei *Historia Brittonum* wedi chwyddo dylanwad Garmon fel gelyn i Gwrtheyrn – a hynny heb sail hanesyddol. Mae'r cyfan yn bwrw amheuaeth os mai Garmon ydi nawddsant eglwys Castell Caereinion ac eglwys Llanfechain – neu Llanarmon ym Mechain a rhoi ei enw llawn i'r pentref.

Dydi hynny ddim yn tynnu oddi wrth harddwch cryno'r pentref heddiw; gwelir rhes o dai, tafarn, eglwys, siop ac ysgol yn galon glòs i'r ardal amaethyddol hon. O bell, gellir gweld tŵr pigfain yr eglwys bresennol a godwyd yn 1860-70au fel rhyw wyliwr dros y cyfan. Rhyw ddegawd cyn codi'r eglwys roedd Robert Roberts o sir Ddinbych – 'Y Sgolor Mawr' fel y'i gelwid – yn ysgolfeistr ifanc yno. Bryd hynny, yn y 1850au, fel hyn y disgrifiodd yr ardal:

> rhedai ffin y Gymraeg a'r Saesneg drwy'r plwyf. Yr oedd y rhan isaf yn gwbl Saesneg a'r rhan uchaf yn Gymraeg.

Erbyn heddiw, mae'n rhaid mynd tipyn pellach i fyny dyffryn Banw cyn canfod ffin y ddwy iaith.

Rhyw hanner milltir i'r de-ddwyrain o bentref Castell Caereinion mae'r Tŷ Mawr a adferwyd dan reolaeth

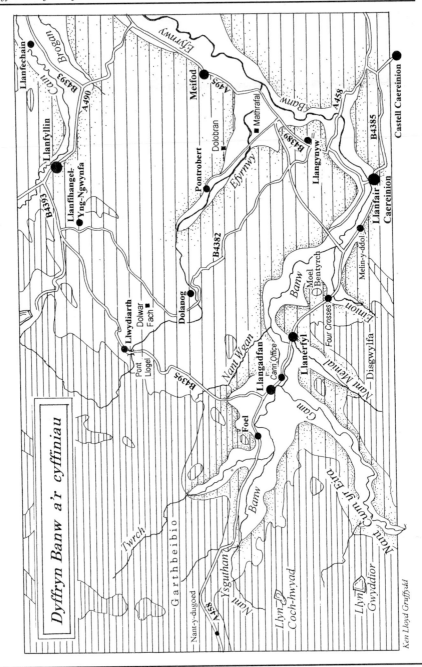

Dyffryn Banw a'r cyffiniau

Ken Lloyd Gruffydd

Comisiwn Brenhinol Henebion a Hen Gofebau; mae'n enghraifft wych – yn wir, yr unig enghraifft ym Maldwyn, o waith coed neuadd agored sy'n dyddio'n ôl i'r bedwaredd ganrif ar ddeg. Bu'n hen sgubor am flynyddoedd cyn iddi gael ei hadfer yn niwedd y 1980au.

Cyfronnydd ac yn ôl i Lanfair

Teulu'r Prysiaid fu'n teyrnasu yng Nghyfronnydd am ganrifoedd cyn i'r plas gael ei drosglwyddo i Gyngor Sir Powys. Yno yr aeth y llenor a'r addysgwraig Dyddgu Owen (1906-1992) i fod yn brifathrawes ysgol i ferched ag anghenion arbennig yn ystod y 1950au a'r 60au. Roedd hi'n enedigol o Bontrobert, ac ysgrifennodd nofelau poblogaidd fel *Brain Boromeo* a'r nofel hanesyddol *Y Flwyddyn Honno* yn ogystal â llyfrau taith ar gyfer oedolion. Yn ystod yr un cyfnod, roedd nofelydd ifanc o weinidog yn llunio'r nofelau mwyaf poblogaidd ac ysgrifennwyd yn y Gymraeg yn ystod yr ugeinfed ganrif, rai milltiroedd i fyny'r ffordd yn Llanfair Caereinion.

Cyn cyrraedd gwlad *Cysgod y Cryman* ac *Yn ôl i Leifior* rhaid mynd drwy ardal ddi-siop, ddi-ganolfan Llangynyw. Yr eglwys yw'r unig adeilad o bwys yno, ac mae Cynyw ei nawddsant a ddaeth i'r ardal fil a hanner o flynyddoedd yn ôl yn sant digon di-sôn-amdano hefyd. Serch hynny, mae'n eglwys sy'n werth ymweld â hi gan fod hefyd olygfa fendigedig o ddyffryn Meifod a safle'r Brifwyl oddi yno. Ar ôl mynd i mewn drwy'r porth sy'n dyddio'n ôl i'r bymthegfed ganrif, y nodwedd fwyaf trawiadol ydi sgrîn y grog sydd bron â

bod yn gyflawn o hyd, ac yn deyrnged i grefftwaith ei cherfwyr. Nid ysgrifenwyr rhyddiaith Cymraeg yn unig gafodd eu hysbrydoli gan yr ardal hon; Llangynyw ydi cartref Jenny Nimmo, awdur y clasur Saesneg i blant *The Snow Spider.*

Yn nechrau'r pumdegau roedd Islwyn Ffowc Elis (g.1924) yn weinidog gyda'r Methodistiaid Calfinaidd yn Llanfair Caereinion. Yn y cyfnod hwnnw ac yng nghymdeithas amaethyddol dyffryn Banw y gwelodd ei fod hi'n bosib cyplysu a chreu gwrthdaro rhwng comiwnyddiaeth ar un llaw a safonau traddodiadol myfyriwr o Gymro a gafodd ei fagu yn fab i ffermwr cefnog ar y llaw arall. Wrth drafod cyfnod ysgrifennu'r nofel yn Llanfair Caereinion a sôn am y modd y dylanwadodd yr ardal arni, cyfaddefodd fod y nofelydd Americanaidd John Steinbeck ymhlith dylanwadau eraill. Fel Steinbeck yn ei nofel *Grapes of Wrath,* mae'n agor llawer o benodau *Cysgod y Cryman* â disgrifiad cyffredinol o'r ardal a'r tymor yn gywir fel y darlun y caiff cudyll neu farcud o'r awyr. Yna, yn union fel mae'r aderyn yn hoelio'i sylw ar ei brae mae'r nofelydd yn canolbwyntio sylw'r darllenydd ar fanylion ei stori afaelgar. Fel y dywed y *Cydymaith i Lenyddiaeth Cymru:*

> cytunir . . . ei fod wedi llwyddo i lusgo'r nofel Gymraeg i'r ugeinfed ganrif a'i fod wedi agor y maes i lenorion eraill yn y broses.

Mae'r capel y bu Islwyn Ffowc Ellis yn gweinidogaethu ynddo yn eithaf unigryw o safbwynt ei bensaernïaeth gan fod ei dŵr pigfain, 90 troedfedd o uchder yn un trawiadol.

Pwy ydi'r Fair yn Llanfair? Credir bod cysylltiad rhyngddi â'r Fair a gafodd ganiatâd Esgob Llanelwy i sefydlu lleiandy yn Llanllugan yn 1239. Gall fod drws deheuol yr eglwys bresennol yn dyddio'n ôl i'r cyfnod hwnnw ond does dim sicrwydd o gwbl. Mae'r ffin rhwng y Gymraeg a'r Saesneg yn fwy amlwg yn Llanfair Caereinion nag yn yr un dref arall ym Maldwyn. Ni chafodd ei Siarter ei hun, ond cafodd ei hanes ei groniclo mewn dull arbennig yn lled-ddiweddar yng nghyfrol y Dr W.T.R. Pryce, *The Photographer in Rural Wales* (1991). Dywed yn ei ragair:

Mewn ystyr gwirioneddol iawn Llanfair oedd a Llanfair yw prifddinas y fro.

Fel prifddinas arall – Llundain – cafodd Llanfair Caereinion hithau ei tharo gan dân mawr yn 1758, pan aeth hen neuadd, siopau, tafarnau a thai to gwellt canol yr hen dref yn wenfflam. Yn wir, adroddwyd yr hanes yn *London Gazette* dair wythnos yn ddiweddarach! Datblygodd y dref yn ystod y ddeunawfed a'r bedwaredd ganrif ar bymtheg, a dirywiodd ei dylanwad yn ystod yr ugeinfed ganrif. Yn ystod cyfnod ei thwf roedd dwy ffatri wlân yno – un yn cyflogi 48 pâr a llu o grefftwyr eraill fel crwynwr, macswr cwrw, sadler ac ati a'i gwnâi yn dref hunangynhaliol ac yn ganolbwynt go iawn. Efallai mai'r enwocaf o grefftwyr Llanfair oedd Samuel Roberts, y clociwr o'r ddeunawfed ganrif. Agorwyd gwasg yn y 1820au, ac yn honno yr argraffwyd *Y Geirlyfr Cymraeg* o waith Owain Gwyrfai (1790-1874).

Melin-y-Ddôl a Llanerfyl

Mae clwstwr o dai hyfryd o'r enw Melin-y-ddôl ar y ffordd gefn allan o Lanfair Caereinion i gyfeiriad dyffryn Banw. Fel mae'r enw yn awgrymu, arferai hen felin ŷd fod yno, a phontiai ei hanes yr Oesoedd Canol a'r ugeinfed ganrif. Mae hyn yn ein hatgoffa fod melinau ŷd fel hyn wedi'u codi'n gyson ar lannau afonydd canolbarth Cymru. Galwai'r hen bobl y felin yn Melin Pant y Groes gan ei bod yn cael ei gyrru gan ddŵr a arweiniai o'r gored ger Pant y Groes i fyny'r afon. Yn 1914 ffurfiwyd Cymdeithas Golau Trydan Llanfair Caereinion, a sianelwyd grym y dŵr i gynhyrchu golau trydan ar gyfer y dref tan 1930. Fel dywed y Dr W.T.R. Pryce yn ei lyfr: 'am genhedlaeth ystyrid y cynllun â balchder gan holl aelodau'r gymuned.' Seiliwyd yr enghraifft gynnar hon o greu ynni amgen ar gynlluniau cynharach rhyw ŵr o'r enw Mr Edwards yn Llwyngwril a Llanuwchllyn.

Y nodwedd ddaearyddol sy'n taro'r llygad ar y ffordd i Lanerfyl yw Moel Bentyrch sy'n codi i uchder o 1,100 troedfedd. Yn ei lyfr *Gwinllan fy Hynafiaid* (a gyhoeddwyd yn 1968) mae'r awdur, D. Alun Lloyd, sy'n enedigol o'r Foel yn disgrifio hen ddefod yn y cyffiniau:

Yr oeddwn wedi darllen ers talwm, rywle wrth droed Foel Bentyrch, hen ffynnon o'r enw Ffynnon y Wrach, lle ymgynullai ieuenctid y fro (yn y dyddiau cyn-Fethodistaidd yn ddiau) ar Sul y Drindod i yfed ei dŵr gyda siwgr wedi'i gymysgu ynddo. Dawnsient wedyn yn llawen ar y llethrau gerllaw.

Mae T.I. Ellis, awdur llyfr taith arall am

Faldwyn yn olrhain y cysylltiad rhwng Llanerfyl a theulu Rhisartiaid Darowen. Treuliodd Mary Richards, merch Thomas Richards, bymtheg mlynedd olaf ei fywyd yn y pentref. Mae'n ei dychmygu yn treulio'r Nadolig ac yn:

aros ar ei thraed i ganu carolau a mynd i'r Plygain fore trannoeth. Yna byddai hi a Jane ei chwaer yn mynd o Lanerfyl i Langadfan i'r Gosber Canhwyllau. Mi garaswn weld y ddwy hen chwaer yn troedio'r hen ffordd wledig unig o'r naill bentref i'r llall yn nhrymder gaeaf er mwyn cadw'n ffyddlon i'r traddodiad y'u magwyd ynddo yn ficerdy Darowen.

Bu Lewis ei brawd yn ficer Llanerfyl; Richard, ei brawd hynaf ym Meifod a David, neu Dewi Silin yn Llansilin. Mae'n wir i ddweud eu bod fel teulu wedi treiddio plwyfi Maldwyn fel perfedd moch!

Erbyn heddiw mae'r pentref yn gartref i'r Prifardd a'r cyn-Archdderwydd Emrys Roberts. Bu'n brifathro yn Ysgol y Banw, ac yn ogystal â llunio'i awdl fuddugol *Y Gwyddonydd* (yn Eisteddfod Genedlaethol y Bala yn 1967) a'r *Chwarelwr* (ym Mangor 1971). Cyfansoddodd nifer o gyfrolau poblogaidd ar gyfer plant a cherddi yn nhraddodiad y bardd gwlad i gofnodi bywyd yn ei dristwch a'i lawenydd yn y dyffryn.

Serch hynny, mae'r merched sy'n ymwneud â'r celfyddydau gweledol a cherddoriaeth yn llawer mwy niferus na'r dynion yn nyffryn Banw. Mae'n gartref i Eleri a Christine Mills, dwy arlunydd sy'n enedigol o'r dyffryn.

Dychwelodd y gantores Siân James i fyw i'w hardal enedigol hefyd, fel y gwnaeth Siani Rhys Jones, yr arlunydd sydd wedi ennill amryw o wobrwyau.

Er mwyn cadw'r ddysgl yn wastad rhwng y ddau ryw, mae'n rhaid cyfeirio at y ddau frawd Gwyn Erfyl a Gwilym Gwalchmai (1920-70) – y naill yn ddarlledwr a bardd, a'r llall yn gerddor o fri, ac athro yn y Coleg Cerdd ym Manceinion cyn ei farwolaeth annhymig.

Yn eglwys Llanerfyl daethpwyd o hyd i garreg ag arysgrif Lladin arni sy'n dyddio'n ôl i ddiwedd y bumed a dechrau'r chweched ganrif. O'i chyfieithu dywed: 'Yma yn y bedd y gorwedd Rusteece, merch Paterninus, 13 oed . . .'. Mae'n garreg anarferol am ei bod yn nodi oedran y sawl mae'n ei goffáu.

Cwm Nant yr Eira

Mae'r cwm hwn yn un o dri chwm diarffordd sy'n croesi'r gefnen sy'n gwahanu dyffrynnoedd Twymyn a Thrannon oddi wrth dyffryn Banw. Mae'r daith yn deuddeg milltir droellog o Langadfan i Dalerddig, ac mae'r rhan fwyaf ohoni'n croesi ac ailgroesi'r afon a enwyd yn addas yn afon Gam.

Yn Nôlhywel yn yr ardal hon trigai William Jones yn ystod y ddeunawfed ganrif (tua 1726-1795). Medrai ysgrifennu Cymraeg a Saesneg yn rhugl yn ogystal â chyfieithu gweithiau Lladin Horas ac Ofydd i'r Gymraeg. Roedd ei dad, Wiliam Siôn Dafydd, yn giard ar y goets fawr a deithiai o'r Amwythig i Fachynlleth, a bu William Jones yn byw gyda pherthynas yn sir Amwythig am gyfnod. Yno dysgodd yr hen ddawnsfeydd gwerin, a thua chanrif wedi hynny cofnododd ei fab hwy. Dyma'r dawnsfeydd a gyhoeddwyd yn ddiweddarach gan W.S. Gwynne Williams a Lois Blake o dan y teitl *Llangadfan Dances.* Ysgrifennodd yr Athro Geraint Jenkins ysgrif bortread ohono yn ei gyfrol *Cadw Tŷ mewn cwmwl Tystion* (Gomer 1990). Gallai gyfieithu gweithiau Lladin Ofydd a Horas yn gwpledi cynganeddol Cymraeg; hyfforddodd ei hun i fod yn feddyg gwlad, a thrwythodd ei hun yn syniadau Voltaire. Mewn eisteddfodau yn niwedd y ddeunawfed ganrif bu'n annog ei gyd-Gymry i adael eu 'tasgfeistri Eifftaidd' – sef y landlordiaid – gan eu cymell i fynd i chwilio am ddisgynyddion Madog a'r Indiaid a fedrai siarad Cymraeg. Yn ddi-os, roedd William Jones yn un o gymeriadau mwyaf lliwgar holl hanes Maldwyn.

Cysylltir enw Tom Jones â fferm yr Hafod heddiw, er nad yw'n byw yno bellach. Pan oedd yn iau cipiai wobrau llenyddol yn Eisteddfod yr Urdd, a daeth yn agos at ennill y Fedal Lenyddiaeth yn y Brifwyl am ei gyfrol *Dyddiadur Ffermwr* (1985), sef portread o flwyddyn ym mywyd ffermwr.

Mae'r ffermydd, yr un addoldy a'r llefydd eraill sydd ar ochr Llanbrynmair i'r cwm wedi'u hanfarwoli yng ngherdd Iorwerth Peate. Gadawn iddo ddarlunio'r lle a welodd yn nechrau'r 1930au:

Mae tylluanod heno yn Nôl-y-
      garreg-wen,
Mae'r glaswellt tros y buarth a'r
      muriau'n llwyd gan gen,
A thros ei gardd plu'r gweunydd a
      daenodd yno'u llen.

Tros fawnog lom Cwmderwen,
      mae'r plu yn amdo gwyn,
A'r ddwy das fel dau lygad nad
      ydynt mwy ynghynn,
A'r sêr yn llu canhwyllau draw ar
      allorau'r bryn.

Benwynion gwan y gweunydd, beth
      yw'r hudoliaeth flin
A droes yn sgrwd bob atgof a'r
      rhostir hen yn sgrin?
Dim, namyn gormes Amser a dry
      bob gwiw yn grin.

Ni ddychwel yr hen leisiau yn ôl i
      Fiwla drwy
Flin drais y ddwylath gweryd; bu'n
      ormod iddynt hwy.
Bydd dawel, galon ysig, a phaid â'u
      disgwyl mwy.

Y mwynder hen a geraist, ffoes ar
      annychwel hynt,
Diflannodd gyda'r hafau bereidd-
      dra'r amser gynt.
Nid erys dim ond cryndod plu'r
      gweunydd yn y gwynt.

Darlun go dywyll o ddiboblogi a thrai crefyddol yng nghapel Biwla yw hwn. Roedd Peate yn cofio'r bardd Derwenog, sef James Roberts yn byw yng Nghwmderwen pan oedd e'n blentyn. Mae dwy ysgol sydd wedi cau – ysgol ar ochr Llanbryn-mair ac hen ysgol yr Hafod ar ochr Llanerfyl yn dystion mud i'r bwrlwm a fu, ond mae adeiladau felly yn frith ym Maldwyn. Erbyn heddiw ailboblogwyd y cwm gan goed y Comisiwn Coedwigaeth, ac mae'r ffermydd sydd wedi uno'n unedau mwy gyda'r mwyaf llewyrchus yng Nghymru, ac mae'r mwyafrif o drigolion y cwm yn siarad Cymraeg.

Llangadfan a'r Foel

Gwelir gwesty'r *Cann Office* ar y chwith cyn cyrraedd pentref Llangadfan. Ar dir y gwesty sydd ar lannau afon Banw mae safle hen gastell mwnt a beili. Hen enw'r domen amddiffynnol hon oedd Tynydomen mae'n debyg. Enwyd y gwesty sydd ar yr hen safle yn *The Three Canns* yn ddiweddarach, a chan fod y gwesty hwnnw ar y lôn bost a gludai'r goets fawr roedd yno swyddfa hefyd; dyna, mae'n debyg, sut y datblygodd yn *Cann Office*.

Mae'n debyg mai sant a ddaeth dros y môr – o Lydaw efallai – a setlo yn Nhywyn i ddechrau oedd Cadfan. Roedd Tydecho yn nai iddo ac aeth i gyffiniau dyffryn Dyfi yn ogystal â sefydlu yng Ngarthbeibo. Heb fod nepell o'r man hwnnw y sefydlodd Cadfan ei eglwys yntau ar ôl bod ar sgowt yng nghyffiniau Bontdolgadfan yn Llanbryn-mair. Pwy a ŵyr? Fel y rhan fwyaf o eglwysi cefn gwlad mae'n lle heddychlon heddiw, ond yng nghyfnod y Rhyfel Cartref trodd gwreichion crefydd yn dân yma pan losgodd Vavasor Powell a'i wŷr (a oedd yn un o gaplaniaid Cromwell), y rheithordy gerllaw'r eglwys gan orfodi gwraig y person a'i phlant i chwilio am loches yn yr eglwys. Yn ddiweddarach, Vavasor Powell oedd gweinidog yr Annibynwyr yn Nolobran.

Yn 1870 cafodd yr ysgol ei hadeiladu y tu ôl i'r eglwys. Bu David Pierce Roberts, tad Dr Enid Roberts (a thaid yr Athro Sioned Davies yn Adran y Gymraeg Prifysgol Caerdydd) yn brifathro ynddi am dros hanner canrif – o 1903 tan 1954. Bellach caiff plant plwyfi Llangadfan a Garthbeibo eu haddysg yn ysgol ardal y Banw lle bu'r cyn-Archdderwydd, Emrys Roberts yn brifathro tan ei ymddeoliad.

Mae pentref y Foel ym mhen uchaf y dyffryn ble ymuna'r afon Twrch â Banw yma ar ôl tyrchu ei ffordd yn llythrennol i lawr ei chwm serth. Fel Cwm Nant cafodd y cwm hwn hefyd ei boblogi gan goed y Comisiwn Coedwigaeth yng nghyfnod y plannu mawr. Bu traddodiad eisteddfodol cryf yn y Foel; enghraifft wych o'r eisteddfodau pentrefol poblogaidd a giliodd o lawer ardal arall. Un o'r englynwyr gorau a gafodd ei feithrin gan y traddodiad hwn oedd John Penry Jones, awdur *Pry'r Gannwyll:*

Ni ddychwel trwy'r tawelwch – o olau'r
    Aelwyd i'r tywyllwch.
Herio fflam â chorff o lwch
Oedd ei farwol ddifyrrwch.

Ar ôl dringo dros Fwlch y Fedwen, croesir y ffin i Feirionnydd a bro'r Gwylliaid Cochion. Ceir llwybrau diddorol yn cysylltu'r ardal â Llyn Coch Hwyaid – lle daw plwyfi Llanerfyl, Llangadfan, Garthbeibo, Cemaes a Llanbryn-mair at ei gilydd. I gloi'r bennod, dyma stori a adroddir gan T.I. Ellis yn ei gyfrol *Crwydro Maldwyn* am y cysylltiad rhwng yr ardal â Llanymawddwy:

Capel anwes i'r fam-eglwys yn Llanymawddwy oedd Garthbeibo flynyddoedd lawer yn ôl; ac un tro, efallai cyn codi eglwys yng Ngarthbeibo, aeth tair gwraig o'r plwyf drosodd i'r Llan i'r gwasanaeth eglwysa (y gwasanaeth diolch ar ôl geni plentyn). Yr oedd y tywydd yn arw, ac fe'u goddiweddwyd hwy gan ystorm o eira ar eu ffordd adref.

Buont feirw yn y fan a'r lle, a chodwyd Carneddau'r Gwragedd ar Fynydd Pen-y-gelli, sydd ar y ffin rhwng Meirion a Maldwyn, gan wragedd yr ardal a ddaeth â cherrig yn eu ffedogau i'r lle, i gofio amdanynt.

Y Dafodiaith, Y Blygain a'r Mwynder – Beth ydyn nhw?

Mae'r dair nodwedd a enwir yn nheitl y bennod hon yn eithaf unigryw i Faldwyn.

Dyma ddyfyniad o ddarn tafodieithol yn y gyfrol *Cynefin*, gwaith Phyllis Griffiths o Lanbryn-mair a gipiodd y Fedal Lenyddiaeth Eisteddfod yr Urdd ym Maesteg yn 1979:

Mi ge's i fynd i Dolydan heddiw am y dydd achos odd Mam ishie mynd ffwrdd. Mëi bob amser yn gofyn i Mrs Owen os gë'i fynd yna fydd hi ishie mynd ffwrdd, hebdda i wrth 'i chwt hi. Dwi'n licio mynd i Dolydan achos dw i'n cêl yn sbwylio yna . . . Amser cinio heddiw mi giso ni rhyw bwdin rhyfedd në dwi'm yn meddwl mod i wedi cël dim 'r'un peth â fo o'r blëin. Pan ofynnes i be oedd o mi ddedodd o mëi pwdin reis yn tyfu dan ddaear yn Dolydan oedd o, a ffor' o'n i i wbod në doedd o'm deud y gwir. Mi 'r'on i'n i goelio fo nes i Mrs Owen ddechre chwerthin a deud yn 'genach wrtha i . . . Dim ond yn Dolydan y dwi wedi gweld ciathod trilliw . . . Mi oedd Lolipop wedi dod â ciathod bëch ar ben y dës wair o dan yr helem.

Mae nodweddion arbennig ac unigryw iawn yn perthyn i dafodiaith Maldwyn ac mae'r rhai mwyaf amlwg yn y darn uchod, er mor anodd yw hi i geisio cyfleu sŵn y dafodiaith ar bapur. Y peth cyntaf sy'n eich taro wrth glywed brodor o'r sir yn siarad yw bod

sain yr 'a' yn troi yn 'ë' neu gyfuniad o 'a' ac 'e' – 'æ' efallai. Maen nhw i'w clywed yn y geiriau 'mëi', 'cël', a 'bëch' yn y darn.

Mae safle daearyddol Maldwyn yng nghanolbarth Cymru yn golygu bod rhai geiriau yn ogleddol eu sain mewn rhai ardaloedd yn y sir ac yn ddeheuol mewn ardaloedd eraill. Er enghraifft, gallwch glywed dau ynganiad – deheuol a gogleddol – o eiriau megis 'chwech', 'chwaneg', 'chwalu' a 'whalu', 'whwech' a 'whaneg' yn ardaloedd Llanbryn-mair, Llanerfyl, Llanllugan a Llanfihangel-yng-Ngwynfa. Yn wir, mae'r ffin rhwng yr 'i' a'r 'u' yn rhedeg drwy ei chanol.

Nodwedd arall a glywir yn narn Phyllis Griffiths ydi'r arfer o roi 'i' ar ôl 'c' ac 'g' o flaen llafariaid arbennig, fel yn y gair 'ciathod' neu yng nghwpled anfarwol, Gwilym Fychan, un o feirdd yr ardal:

Cath, medd Lewis Glyn Cothi,
Ond ciëth sy 'run fiëth i fi.

Digwydda'r un peth mewn geiriau fel 'ciert' ('cert' neu 'trol') a 'ciæl' weithiau. Mae'r arfer o dalfyrru sillaf gyntaf gair yn amlwg yn y gair 'genach' (amgenach). Mae'r un peth yn wir yn y geiriau 'ffyle' (ceffylau), 'thefnos' (pythefnos) ac mewn ymadroddion fel "hoswch chi' (arhoswch chi) a 'cosa ato fo' (agosa ato fo).

Wrth gwrs, mae ambell air i'w glywed yn ardal Maldwyn sydd wedi'i wreiddio'n ddwfn yn hanes diwydiannol y fro. Yr enghraifft orau mae'n debyg ydi'r gair 'pannu' sy'n dod o'r diwydiant gwlân a oedd mor bwysig yn yr ardal. Cafodd y gair ei drosglwyddo i'r iaith lafar hefyd. Clywir brawddegau fel 'Mi dy banna i di,' (sy'n golygu 'mi dy gura i di' neu 'mi gei di gweir/gosfa gen i') ar lafar hyd yn oed yn y dyddiau gwleidyddol gywir hyn! Gellir enwi llu o eiriau eraill sy'n unigryw i Faldwyn: e.e

'ffebrins' (gwsberis/eirin Mair – yn wir, dyma'r enw a roddwyd ar grŵp canu pop lleol yn yn ddiweddar)
'cog' (hogyn/bachgen/crwt)
'wtra' (o'r Saesneg *outrack*, lôn las, lôn)
'ffalt' (o'r Saesneg *fold* neu 'clos', 'buarth')

Y Blygain

Erbyn heddiw mae wedi dod yn ffasiynol i gynnal plygeiniau yn ystod cyfnod y Nadolig ledled Cymru. Gwasanaethau a atgyfodwyd yn ddiweddar yw'r rhan fwyaf ohonynt, ond yn rhannau dwyreiniol Maldwyn fe barhaodd y traddodiad yn ddi-dor ers yr ail ganrif ar bymtheg. Beth oedden nhw yn wreiddiol felly?

Eu pwrpas yn syml oedd dathlu genedigaeth Crist rhwng dydd Nadolig a'r Hen Galan drwy ganu carolau a gyfansoddid yn arbennig ar gyfer y gwasanaethau gan garolwyr lleol. Wmffre Dafydd ap Siôn, clochydd Llanbryn-mair a fu farw yn 1646, a Dafydd Manuel o'r Byrdir, Trefeglwys oedd dau o'r carolwyr cynharaf. Roedd gan bob plwyf neu bentref ei barti plygain ei hun a byddai'r rheiny'n mynd o gwmpas i ganu ym mhob plygain yn y cyffiniau; ambell waith mi fydden nhw'n canu mewn tai hefyd. Cynhelid y gwasanaethau hyn ar ddyddiad penodol, ond uchafbwynt y tymor plygeiniau fyddai'r Blygain Fawr yn Llanfihangel-yng-Ngwynfa a gâi – ac sydd yn dal i'w gael ei chynnal ar yr ail Sul yn y Flwyddyn Newydd.

Roedd y carolau hyn yn eithaf cymhleth o ran eu mesurau ac yn asio cynghanedd ac odlau a chyseinedd. Yn ôl y diweddar Thomas Parry, roedd 'miwsig y dôn yn dwyn i'r amlwg fiwsig y gynghanedd a'r odlau'n ailateb ei gilydd', ac roedd effaith y cyfan yn y diwedd yr un fath â chael y boddhad o wrando ar 'gerddoriaeth offerynnol'. Does dim rhyfedd, felly, nad oedd angen cyfeiliant arnyn nhw. Mae Enid Roberts yn dyfynnu gwaith Thomas Williams, gwehydd o Lanfihangel-yng-Ngwynfa yn *Braslun o Hanes Llên Powys* sy'n rhoi syniad i ni o'r hyn a esbonnir gan Thomas Parry. Dyma bedair llinell o'i waith ar fesur Calon Lawen:

> Cydglymwn fawl yn glau, yn
> > ddinacáu trwy doniau cân,
> I'r dyrchafedig Fod, rhown glod i'w
> > enw glân;
> Pob un sydd yma ynghyd, trwy
> > frawdol fryd hyfrydol fron
> I Frenin mawr y nef rhown glod a'n
> > llef yn llon.

Roedd yr hen garolwyr yn wehyddion geiriau go iawn hefyd.

Mae gwreiddiau'r traddodiad yn dyddio'n ôl i offeren ganol nos y Pabyddion. Ystyr Plygain ydi ar ganiad y ceiliog (*pulli canto* yn Lladin), ac arferid cynnal y plygeiniau cynnar rhwng tri a chwech y bore.

'Y mwynder hen a erys'

Oes yna'r fath beth â mwynder Maldwyn? Daw'r dyfyniad uchod o gerdd Iorwerth Peate i *Cwm Nantyreira*. Mae'r 'mwynder' yn parhau i fod yno er bod y gymdeithas wedi mynd yn ôl y bardd. Mae hynny'n awgrymu mai cyfeirio at dirlun mwynaidd y rhan hon o Gymru a wneir.

Aiff eraill gam ymhellach, gan honni fod y nodweddion daearyddol hyn wedi mowldio natur hynaws pobl Maldwyn hefyd. Mae'n ddywediad sy'n werth ei ystyried gan ei fod yn codi cwestiynau diddorol ynghylch y nodweddion unigryw a briodolir yn aml i bobl sy'n byw mewn ardaloedd penodol. Dyma a ddywed Enid Pierce Roberts, sy'n enedigol o ddyffryn Banw, yn ei chyfrol *Braslun o Hanes Llên Powys* (Gwasg Gee, 1965):

> Y mae pawb sy'n gyfarwydd â sir Drefaldwyn yn sylweddoli ar unwaith mai tua'r dwyrain y mae ei gogwydd. Tua Lloegr yr ymegyr ei dyffrynnoedd, nid oes ond dyffryn Dyfi yn ymestyn tua'r gorllewin. Dywedwyd droeon fod *The Great Plain of Europe* yn cychwyn ar gwr dwyreiniol sir Drefaldwyn.

Mae hanes y sir yn tanlinellu mor wir ydi'r dyfyniad. Drwy'r dyffrynnoedd hyn y daeth y trigolion cynharaf i Faldwyn, fel y tystia'r penodau agoriadol; oddi yno y bygythiwyd hi gan y Mers; drwyddyn nhw y daeth syniadau newydd, ac yn ddiweddarach o'r unfed ganrif ar bymtheg, hyd at y bedwaredd ganrif ar bymtheg, roedd gan y *Shrewsbury Drapers* fonopoli llwyr ar ddiwydiant gwlân y sir. Cludai gwehyddion ardaloedd gwledig y sir eu gwlanen i'r Amwythig. Roedd yn rhaid iddynt gyfathrebu â'r brethynwyr estron yn gyson er mwyn ennill bywoliaeth. Bu ffermwyr y sir yn delio ac yn bargeinio'n gyson â'u cymdogion dros Glawdd Offa ym marchnadoedd y Trallwng a Chroesoswallt hefyd.

Pa effaith gafodd hyn ar ei thrigolion? Yn sicr, bu'n fodd i wywo'r Gymraeg ar wefusau nifer helaeth ohonynt. Eto i gyd, ni lwyddodd i wneud hynny'n llwyr. Daliodd yr iaith ei thir am ganrifoedd yn rhannau uchaf dyffrynnoedd Banw, Cain, Tanat, Efyrnwy, Hafren a Dyfi gyfan wrth gwrs. Dyma'r hanes a fowldiodd gymeriad y sir. Wedi'r cwbl, fe gawsant ganrifoedd i baratoi ac ymarfer sgiliau goddefgarwch, bargeinio a chyfaddawdu – a hynny heb ildio'u hunaniaeth yn gyfan gwbl. Hyn sydd i gyfrif fod pobl Maldwyn yn glên ac yn gip (cyfrwys).

Mae pobl Maldwyn yn ymwybodol iawn o'r ffaith eu bod yn byw yn y canol. Yn ogystal â chyfathrebu â'u cymdogion dros Glawdd Offa bu'r sir yn echel y glorian rhwng gogledd a de Cymru. Cyn Eisteddfod Genedlaethol Machynlleth yn 1937, ysgrifennodd Oswald Rowlands gyfrol yn dwyn y teitl *Machynlleth a Bro Ddyfi*. Mae'r hyn a ddywed am barhad y Gymraeg bryd hynny yn dal yn wir hyd heddiw, a gellir priodoli'r dyfyniad i sir gyfan (newidiais y gair perthnasol mewn llythrennau italig):

> Heddiw a'r iaith Gymraeg wyneb yn wyneb â difodiant, os collir y frwydr ym *Maldwyn*, fe'i cyfyngir i ddwy 'ynys'. . . y naill yn y gogledd a'r llall yn y de.

Mynegai